Der Kreis Siegen-Wittgenstein

Führer zu archäologischen Denkmälern in Deutschland

Herausgegeben vom
Nordwestdeutschen und vom West- und Süddeutschen
Verband für Altertumsforschung

Band 25

Theiss

Der Kreis Siegen-Wittgenstein

Bearbeitet vom Westfälischen Museum für Archäologie,
Amt für Bodendenkmalpflege Münster, Außenstelle Olpe

Mit Beiträgen von
Rudolf Bergmann · Thomas Frank · Philipp R. Hömberg
Cornelia Kneppe · Hartmut Laumann · Uwe Lobbedey
Sigrid Lukanow · Bernd D. Plaum · Richard Pott
Jürgen H. Schawacht · Friedrich Karl Schneider
Anna Helena Schubert · Michael Thünker

NOTTINGHAM
UNIVERSITY LIBRARY

Theiss

Redaktion: Philipp R. Hömberg, Anna Helena Schubert
Für den Inhalt, die Gestaltung der Beiträge und
die Richtigkeit der Zitate sind die Autoren verantwortlich.

Die Deutsche Bibliothek – CIP-Einheitsaufnahme

Der **Kreis Siegen-Wittgenstein** / bearb. vom Westfälischen
Museum für Archäologie, Amt für Bodendenkmalpflege
Münster, Aussenstelle Olpe. Mit Beitr. von: Rudolf Bergmann
... [Red.: Philipp H. Hömberg ; Anna Helena Schubert]. –
Stuttgart : Theiss, 1993
(Führer zu archäologischen Denkmälern in Deutschland ; Bd. 25)
ISBN 3-8062-1092-6
NE: Bergmann, Rudolf; Westfälisches Museum für Archäologie
<Münster, Westfalen> / Aussenstelle <Olpe>; GT

10000 96555

Umschlag: Michael Kasack
Umschlagbild: Tierkopfgürtelhaken der Jüngeren Eisenzeit
von Netphen-Deuz (Foto: Jürgen Bahlo, RGK)

© Konrad Theiss Verlag GmbH & Co., Stuttgart 1993
Alle Rechte vorbehalten
Satz und Druck: Gulde-Druck GmbH, Tübingen
Printed in Germany
ISBN 3-8062-1092-6

Vorwort

Kultur im allgemeinen, Geschichte im besonderen konstituiert den Lebenszusammenhang einer Region. Kulturelle Prozesse und die Notwendigkeit, sie bewußt zu machen, haben für unsere Gesellschaft fundamentale Bedeutung. Doch ist es angesichts des im großen und ganzen schwierigen Verhältnisses von Wissenschaft und Politik alles andere als selbstverständlich, daß der Landschaftsverband Westfalen-Lippe der Anregung von Wissenschaftlern folgte und zu Beginn der 80er Jahre die Einrichtung einer Außenstelle des Westfälischen Museums für Archäologie, Amt für Bodendenkmalpflege, im Regierungsbezirk Arnsberg mit Sitz in Olpe betrieb. 1980 war in Nordrhein-Westfalen ein Denkmalschutzgesetz in Kraft getreten.
Die seither erzielten archäologisch-denkmalpflegerischen und wissenschaftlichen Erfolge lassen sich sehen und rechtfertigen diese Dezentralisierung. Die Olper Außenstelle hat durch systematische Denkmälererfassung und Erforschung der Denkmäler insbesondere auch zur Klärung besiedlungskundlicher Probleme im Siegerland beigetragen.
Spätestens seit der ausgehenden Hallstattzeit scheint auch das Bergland dichter besiedelt worden zu sein. Die Funktion eisenzeitlicher Burgen im Siegerland wird zunehmend in größerem Siedlungszusammenhang klar. Das Siegerland, so wurde mehr und mehr deutlich, ist seit altersher ein Eisenland: Die Tradition der Eisengewinnung im Siegerland reicht bis in die vorrömische Eisenzeit zurück.
Um die wissenschaftliche Arbeit der Außenstelle Olpe der Fachwelt vorzustellen, diese Arbeit in größerem Rahmen zu diskutieren und ihre Resultate Forschungsergebnissen in anderen Mittelgebirgslandschaften gegenüberzustellen, ist der Deutsche Archäologenkongreß 1993 in Siegen das richtige Forum.
Der Kreis Siegen-Wittgenstein bietet sich für Exkursionen von

Siegen aus an. Zugleich führen diese Exkursionen in ein im letzten Jahrzehnt archäologisch besonders gut erforschtes Gebiet.
Möge dieses Büchlein vielen an der Archäologie und Geschichte des Siegerlandes Interessierten an den Forschungsergebnissen der Außenstelle Olpe teilhaben lassen, ihnen neues Wissen vermitteln und das Bewußtsein von der Geschichtlichkeit der Region und ihrer kulturellen Prägung schärfen.

Siegen, im August 1993

Joachim Reichstein

Vorsitzender des
Nordwestdeutschen Verbandes
für Altertumsforschung e. V.

Inhalt

Objektbeschreibungen

Geologie und Böden

Geländegestalt und naturräumliche Gliederung

Der Kreis Siegen-Wittgenstein wird im Süden und Westen von der Naturraumeinheit Siegerland eingenommen, die südlich von Burbach an den Hohen Westerwald und westlich von Freudenberg an das Mittelsiegbergland stößt. Das Siegerland läßt sich als große Quellmulde der oberen Sieg charakterisieren, die von zahlreichen Tälern und 300–450 m NN hohen Bergrücken vielgestaltig gegliedert ist. Etwa entlang einer Linie zwischen Hilchenbach und der Siegquelle schließt sich nach Norden und Nordosten das südliche Rothaargebirge an, das mit einem schmalen Ausläufer das Siegerland auch im Südosten begrenzt. In dieser tiefer und stärker zerschluchteten Naturraumeinheit erreichen Hochlagen 500–700 m NN, an denen bis 1200 mm Jahresniederschlag fällt. Innerhalb des Rothaargebirges liegt zwischen Laasphe, Erndtebrück und Bad Berleburg als Untereinheit das Wittgensteiner Land.

Erdgeschichte

Paläozoikum

Die im Kreis Siegen-Wittgenstein zutage tretenden Festgesteine (Abb. 1) entstanden während der Zeit des oberen Silurs, des Devons und des unteren Karbons (Abb. 2) aus Ablagerungen eines Meeres, das damals Teile West- und Mitteleuropas bedeckte. Das von Südengland über das Rheinische Schiefergebirge bis nach Polen reichende Meeresbecken wurde im Norden von einem Festland, dem Old-Red-Kontinent, begrenzt, der lange Liefergebiet für die im Rheinischen Meerestrog abgelagerten Sedimente war.

Die ältesten Gesteine im Kreisgebiet treten bei Silberg im Müsener Horst (Abb. 1) zutage. Es sind dunkle geschieferte Tonsteine, die sich zur Zeit der Přidoli-Stufe im oberen Silur bildeten.
Ablagerungen aus dem Devon stellen – was Mächtigkeit und Verbreitung betrifft – den größten Anteil der Gesteine. Besonders im Unterdevon lieferte der Old-Red-Kontinent reichlich Verwitterungsschutt, unter anderem deshalb, weil eine schützende Pflanzendecke noch fehlte. Große Flußsysteme transportierten den Schutt in das vorgelagerte Meer, wo sich die Hauptmasse des Materials schon in geringer Entfernung vom Land auf dem flachen Schelfsaum absetzte. Der Schelf stellte im Unterdevon einen rasch einsinkenden Meeresbereich dar. Mit der Absenkung hielt jedoch die Sedimentzufuhr Schritt, so daß sich im betrachteten Gebiet mehrere tausend Meter mächtige Sedimente ablagern konnten.
In den Schichten der Gedinne-Stufe, die nur im Bereich des Müsener Horstes zutage treten, dominieren rote geschieferte Ton- und Schluffsteine. In die über 1000 m mächtige Abfolge schalten sich aber auch harte quarzitische Sandsteine ein, aus denen sich Martinshardt (616 m NN), Kindelsberg (618 m NN) und Ziegenberg (521 m NN) erheben.
Die Ablagerungen der Siegen-Stufe erreichen eine Gesamtmächtigkeit von ca. 4000 m. Die Unteren Siegener Schichten bestehen überwiegend aus relativ schluff- und sandarmen, geschieferten Tonsteinen, in denen reichlich fossile Pflanzenreste auftreten. Die Mittleren und Oberen Siegener Schichten zeichnen sich durch einen Gesteinsaufbau aus, der tonige Sandsteine und kaum geschieferte sandige Tonsteine (unreine Gesteinstypen) in Wechsellagerung zeigt.
Zur Zeit der unteren Ems-Stufe lagerten sich weiterhin Tonstein-Sandstein-Wechselfolgen ab, in die sich im südlichen Kreisgebiet bis 500 m mächtige, quarzitische Sandsteinfolgen einschalten. Als Härtlinge bauen die Sandsteine den langgestreckten Höhenzug von der Kalteiche bis zur Haincher Höhe auf. Zu Beginn der oberen

Abb. 1 Geologische Übersichtskarte des Sieger- und südlichen Sauerlandes. M. 1:500000.

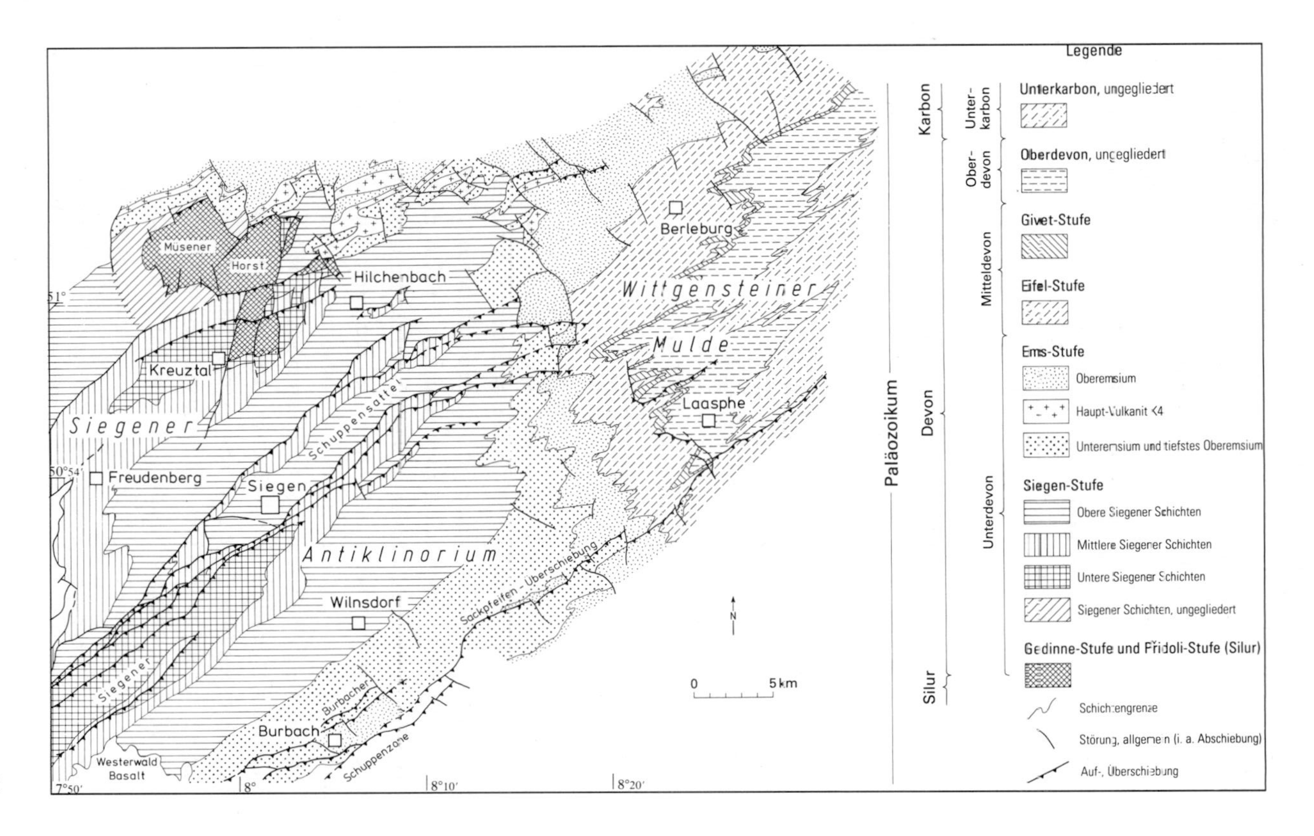
Legende
Unterkarbon, ungegliedert
Oberdevon, ungegliedert
Givet-Stufe
Eifel-Stufe
Ems-Stufe
Oberemsium
Haupt-Vulkanit K4
Unteremsium und tiefstes Oberemsium
Siegen-Stufe
Obere Siegener Schichten
Mittlere Siegener Schichten
Untere Siegener Schichten
Siegener Schichten, ungegliedert
Gedinne-Stufe und Přidoli-Stufe (Silur)
Schichtengrenze
Störung, allgemein (i. a. Abschiebung)
Auf-, Überschiebung
Unter-karbon
Ober-devon
Mitteldevon
Unterdevon
Karbon
Devon
Silur
Paläozoikum
Müsener Horst
Hilchenbach
Berleburg
Wittgensteiner Mulde
Laasphe
Kreuztal
Siegener Antiklinorium
Schuppensattel
Freudenberg
Siegen
Wilnsdorf
Sackpfeifen-Überschiebung
Siegener
Burbacher Schuppenzone
Burbach
Westerwald Basalt
N
0
5km
51°
50°54'
7°50'
8°
8°10'
8°20'

Beginn vor Mio. Jahren	Erdzeitalter	System	Abteilung
0,01	Känozoikum (Erdneuzeit)	Quartär	Holozän
1,8			Pleistozän
24,6		Tertiär	Jungtertiär
65			Alttertiär
	Mesozoikum (Erdmittelalter)	Kreide	
		Jura	
248		Trias	
	Paläozoikum (Erdaltertum)	Perm	Zechstein
286			Rotliegendes
		Karbon	Oberkarbon
360			Unterkarbon
374		Devon	Oberdevon
387			Mitteldevon
408			Unterdevon
438		Silur	
505		Ordovizium	
590		Kambrium	

Abb. 2 Erdzeitalter.

Ems-Stufe vollzog sich im betrachteten Gebiet ein grundlegender Wandel. Das Siegerland lag nicht mehr im landnahen und von Deltaschüttungen erreichten Ablagerungsbereich. Die Küstenlinie hatte sich nach Norden zurückgezogen, so daß der Einfluß des offenen, tieferen Meeres zum Tragen kam. Deutlich geschieferte, teils recht milde und auch stark kalkige Tonsteine wurden nun anstelle der bisher vorherrschenden rauhen Ton- und Sandsteine abgelagert. Ebenfalls am Anfang der oberen Ems-Stufe flossen im Bereich nordöstlich des Müsener Horstes gewaltige Mengen an vulkanischen Schmelzen submarin aus, die nach ihrer Erstarrung den bis zu 300 m mächtigen Hauptvulkanit K4 (Abb. 1) bildeten. Die weiteren Vulkanite aus der Ems-Stufe (mineralogisch ebenfalls Quarzkeratophyre) erreichen nicht annähernd diese Mächtigkeit.
Gesteine aus der Mitteldevon-Zeit sind, wie auch alle jüngeren im Kreisgebiet auftretenden Festgesteine, nur in der Wittgensteiner

Mulde zu finden. Die Küstenlinie verschob sich weiter nach Norden, wodurch die Ablagerungen immer mehr den Charakter küstenferner Beckensedimente annehmen. Zur Zeit der Eifel-Stufe setzten sich dunkle, schluffige, oft gebänderte Tonsteine ab, die im Wittgensteiner Land (südlich Bad Berleburg) in der Vergangenheit als Dachschiefer abgebaut wurden. In den Tonsteinfolgen finden sich mächtige Sandsteinhorizonte. Die Sandsteine entstanden aus Suspensionsströmen, in denen sandiges Material vom Schelfrand aus in die Beckensedimente abglitt. Dunkle gebänderte Tonsteine und Alaunschiefer lagerten sich in der Givet-Stufe ab. Sie zeichnen sich durch eine typische Tiefseefauna aus.
Im Oberdevon wurden in der Wittgensteiner Mulde rote, grüne und schwarze geschieferte Tonsteine abgelagert, die der Gesteinsfolge ein abwechslungsreiches Erscheinungsbild verleihen.
Die Sedimente aus dem Unterkarbon bauen sich aus geringmächtigen schwarzen Alaunschiefern und Tonsteinen, harten Kieselschiefern sowie kieseligen Kalken und Plattenkalken auf. Grauwacken, die innerhalb der Wittgensteiner Mulde im höheren Unterkarbon entstanden, stellen im Kreisgebiet die jüngsten überlieferten paläozoischen Ablagerungen dar. Am Ende des Karbons wurden die Schichten im Rheinischen Schiefergebirge von einer Gebirgsbildung erfaßt (variscische Gebirgsbildung) und gefaltet, geschiefert und an Störungen gegeneinander versetzt. Mit der Gebirgsbildung hob sich das entstandene Faltengebirge aus dem Meer heraus. Die unmittelbar einsetzende Verwitterung bewirkte wahrscheinlich schon zur Perm-Zeit eine weitgehende Einebnung zu einem Rumpfgebirge.

Mesozoikum und Känozoikum

Im Verlauf des Mesozoikums blieb das Schiefergebirge im wesentlichen ein Festland und unterlag weiterhin der Verwitterung. Möglicherweise herrschte seit der ausgehenden Kreide ein feuchtwarmes, subtropisches Klima vor, das besonders im Alttertiär die paläozoischen Gesteine tiefgreifend zersetzte. Im Siegerland zeigen einzelne Erzgänge bis in eine Tiefe von 200 m Spuren dieser alten

Verwitterung. Es entstanden mächtige schluffig-tonige Lockergesteinsdecken, die das Ausgangssubstrat fossiler Böden (Paläoböden) bildeten, die im nachfolgenden Pleistozän aber fast vollständig wieder erodiert wurden. Am Ende des Tertiärs begann eine deutliche Klimaverschlechterung, die im Quartär ihren Höhepunkt mit den Kaltzeiten im Pleistozän erreichte. Das Schiefergebirge blieb vom nordischen Inlandeis frei, wurde jedoch vom periglazialen Klima geprägt. Besonders in den Tälern und Senken überdecken Lockergesteine (Hanglehme, Fließerden), die im Pleistozän unter dem mehrfachen Wechsel von Kalt- und Warmzeiten entstanden, die paläozoischen Festgesteine. Mit Beginn des Quartärs setzte eine Hebung des Schiefergebirges ein, die eine erhöhte Transportkraft der Flüsse und Bäche bewirkte und zu einer gesteigerten Tiefenerosion führte. Zur damaligen Zeit wurde in Grundzügen auch das heutige Landschaftsbild angelegt. Bei der Verwitterung der Gesteine spielt ihre Beschaffenheit eine wesentliche Rolle. Besonders breit ausgeräumte Täler entstanden dort, wo vermehrt weiche Tonsteine anstehen, während harte oder kompakte Gesteine (z. B. Sandsteine) bevorzugt die Höhenrücken aufbauen. Auch das Gewässernetz hat sich weitgehend nach geologischen Vorgaben des Untergrundes ausgerichtet. So zeichnet die Südwest-Nordost-Richtung in etwa den generellen Verlauf (das Streichen) der Schichten nach, während Nordwest-Südost gerichtete Täler einer Hauptstörungsrichtung im Schiefergebirge (Querstörungen) folgen. Vor ca. 10000 Jahren endete die letzte Kaltzeit. Im noch andauernden Holozän laufen Gesteinsverwitterung und -verfrachtung sehr viel langsamer ab. In den Tälern lagerten sich über stellenweise erhaltenen pleistozänen Fluß- und Bachschottern bei Hochwasser Auenlehme ab. In den Auenlehmen finden sich abschnittsweise Schlakkenstücke, die von den einst an Bachläufen gelegenen Rennöfen zur Verhüttung des Siegerländer Eisenerzes stammen. Kleinflächige Niedermoore und einige Hochmoore, die besonders südlich von Erndtebrück verbreitet sind, entstanden ebenfalls im Holozän. In den letzten 100 Jahren haben Eingriffe des Menschen die Erdoberfläche in einer solchen Weise verändert, wie es geologische Vorgänge in Jahrtausenden nicht vermochten.

Im Kreisgebiet ist die Nahtstelle von zwei Großstrukturen des Rechtsrheinischen Schiefergebirges erfaßt. Das Siegener Antiklinorium reicht von Südwesten her in das Kreisgebiet hinein und taucht nach Nordosten unter die Wittgensteiner Mulde ab. Das Siegener Antiklinorium – früher auch Siegener Block genannt – stellt eine sattelartige Großstruktur dar, die vom Siegerland bis über den Rhein in die Eifel verfolgt werden kann. Im Kern des Antiklinoriums liegt der Siegener Schuppensattel (Abb. 1), in dem an zahlreichen Aufschiebungen jeweils ältere Schichten über jüngere geschoben worden sind. Die bedeutendste Störung im Antiklinorium ist die aus mehreren parallel verlaufenden Störungen bestehende Siegener Hauptaufschiebung, die sich südwestlich von Siegen in nach Nordosten divergierende Teiläste aufspaltet. Zahlreiche Störungen durchziehen und begrenzen den an der Nordwestflanke des Antiklinoriums gelegenen Müsener Horst. Die Störungen dienten zur Zeit der Gebirgsbildung als Aufstiegswege für metallhaltige Lösungen, aus denen sich zahlreiche Erze (z. B. Blei-, Zink-, Kupfer-, Silbererze) ausschieden, die in der Vergangenheit zu einem intensiven Bergbau geführt haben.
Manganreiche und daher hochwertige Eisenerze wurden seit alters her auch im Siegerländer Erzdistrikt südlich und südwestlich von Siegen in zahlreichen Gruben abgebaut. Die Erze – neben Siderit (Eisenspat $FeCO_3$) untergeordnet auch Bleiglanz, Kupferkies und Zinkblende – sind an Abschiebungen gebunden (Gangerze) und haben sich wie im Müsener Bezirk aus emporgestiegenen Lösungen abgesetzt.
Das Siegener Antiklinorium wird im Südosten von einer bedeutenden Störung, der Sackpfeifen-Überschiebung, begrenzt. Die Sackpfeifen-Überschiebung ist eine tiefreichende tektonische Nahtlinie innerhalb der oberen Erdkruste, die von der Frankenberger Bucht bis in die Burbacher Schuppenzone (Abb. 1) verfolgt werden kann. Das kennzeichnende Merkmal der Wittgensteiner Mulde ist die intensive Faltung ihrer Schichten. In der geologischen Karte kommt die Faltung deutlich zum Ausdruck, da die Schichtengren-

zen in Muldenstrukturen weit nach Südwesten, in Sattelstrukturen weit nach Nordosten vorspringen.

Michael Thünker

Der Boden

Vom Geologischen Landesamt Nordrhein-Westfalen werden Bodenkarten im Maßstab 1:50000 erstellt und herausgegeben, auf denen die verschiedenen Bodentypen, die Bodenart und die Wasserverhältnisse dargestellt sind. Ferner enthalten sie Angaben über die Bodeneigenschaften wie Nährstoffversorgung und Nutzungseignung. Diese Karten bilden die Grundlage für die folgende Übersicht über den Boden im Kreise Siegen-Wittgenstein.
Das auf dem paläozoischen Festgestein liegende, häufig durch Fließvorgänge umgelagerte Verwitterungsmaterial besteht bodenartlich aus meist locker gelagertem, steinigem, lehmigem Schluff oder schluffigem Lehm und weist einen ausgeglichenen Luft- und Wasserhaushalt auf. Aus diesem Lockergestein hat sich Braunerde entwickelt, der im Kreisgebiet am weitesten verbreitete Bodentyp. Auf Kuppen und an Steilhängen ist die Braunerde flachgründig, während sie in Mulden und Hangfußlagen eine Mächtigkeit von mehreren Metern aufweisen kann. Die Nutzungseignung hängt bei diesem Bodentyp außer von der Mächtigkeit des Lockermaterials auch vom Steingehalt und von der Hangneigung ab.
Auf Graten und Rippen, wo die Mächtigkeit des Lockergesteins besonders gering ist, folgt unter dem humosen Oberboden stellenweise direkt das Festgestein. Bodentypologisch liegt hier Ranker vor. Wo Sandstein, Kieselschiefer oder Keratophyr den Untergrund bildet, kommt in exponierter Lage Podsol-Braunerde aus stark sandigem Lehm bis lehmigem Sand vor, kleinflächig auch Podsol.
Im Raum von Kreuztal und Freudenberg liegt an flachen Hängen stellenweise Lößlehm in größerer Mächtigkeit. Hier hat sich durch eine allerdings meist nicht sehr deutlich erkennbare Tonverlage-

rung (Lessivierung) Parabraunerde entwickelt, die z. T. im tieferen Bereich auch Staunässeeinfluß aufweist und entsprechend als Pseudogley-Parabraunerde anzusprechen ist. Parabraunerde aus Lößlehm stellt wegen ihrer Tiefgründigkeit, der hohen nutzbaren Wasserkapazität und der guten Aufnahmefähigkeit für Nährstoffe den für die Landwirtschaft besten Bodentyp im Kreisgebiet dar. Er erlaubt meist hohe Erträge.

Stellenweise wird das versickernde Niederschlagswasser auf schlecht durchlässigem Untergrund gestaut, so daß es zur Entwicklung von Pseudogley kam. Nach Regenperioden und bei der Schneeschmelze kann dieser Bodentyp eine Vernässung bis in den Oberboden aufweisen, die mit Austrocknung abwechselt und die Bearbeitung des Bodens erschwert. Daher wird Pseudogley meist als Wald genutzt. Die wasserstauende Schicht besteht stellenweise aus schluffig-tonigem Lehm bis lehmigem Ton, der das Produkt einer tertiärzeitlichen bis pleistozänen Bodenbildung darstellt. Auf Hochebenen und flachen Kuppen liegt dieses fossile Bodenmaterial stellenweise als Decke mit stark wechselnder Mächtigkeit auf den paläozoischen Gesteinen. Es kann aber auch, durch Bodenfließen verfrachtet, in Hangfußlage vorkommen.

An Hängen ist der locker gelagerte lehmige Schluff der Verwitterungsdecke seit Beginn der landwirtschaftlichen Nutzung häufig erodiert und in Trockentälern in größerer Mächtigkeit zusammengeschwemmt worden. Dieses Kolluvium ist tiefreichend humos und ein guter Boden für die Landwirtschaft. Er ist allerdings empfindlich gegen Druck durch schweres Ackergerät. Im Unterboden zeigt Kolluvium nicht selten Staunässeeinfluß.

In den zahlreichen Bachtälern findet sich unter dem Einfluß von Grundwasser entstandener Gley, der einen typischen Grünlandstandort darstellt. Bei hohem Grundwasserstand hat sich z. T. Naßgley oder Anmoorgley entwickelt. Nur vereinzelt kam es zur Bildung von Niedermoor mit einer Torfmächtigkeit bis etwa 1,5 m. Hochmoor kommt stellenweise in kleinen Flächen vor, in größerer Ausdehnung südlich von Erndtebrück und in dem Naturschutzgebiet »Auf der Struth« im Edertal bei Erndtebrück, wo der Torf mehr als 2 m mächtig ist.

In den Auen der Flußtäler wurde durch periodische Überflutungen Bodenmaterial abgelagert, aus dem fruchtbarer Auenboden entstanden ist. Der Grundwasserstand des Auenbodens hängt von der Wasserführung des Flusses ab und ist starken jahreszeitlichen Schwankungen unterworfen. Stellenweise sind die Auen auch heute noch flutgefährdet.
Künstlich veränderter Boden ist nicht selten im Kreisgebiet anzutreffen. Während aufgelassene Steinbrüche häufig sich selber überlassen wurden und sich durch natürliche Begrünung wieder in die Landschaft einfügten, sind Halden und Kippen des Erzbergbaus und der Hütten sowie Deponien meist künstlich mit Bodenmaterial überdeckt worden. In den Talauen ist der Boden häufig durch die Bebauung verändert worden. Besonders im Stadtgebiet von Siegen findet sich kaum noch natürlicher Boden.
Hohe Niederschläge mit niedrigen Temperaturen von 6–7 °C im Jahresmittel sind zusammen mit dem stark gegliederten Relief vor allem der Grund dafür, daß der überwiegende Teil des Kreises Siegen-Wittgenstein mit Wald bestanden ist. Aber auch die Ausbildung und Verteilung der Bodentypen und deren Eigenschaften prägen über die Nutzung in starkem Maße das Landschaftsbild. Die Nutzung muß die Eigenheiten des Bodens berücksichtigen und darf nicht der Erzielung kurzfristigen Gewinns dienen. Der Boden ist eines der kostbarsten Güter der Menschheit. Wer den Boden kennt, wird ihn gerade in einer weitgehend intakten Landschaft als schützenswertes Gut ansehen und behandeln.

Karten:
Verzeichnis geologischer und bodenkundlicher Karten für das Kreisgebiet Siegen-Wittgenstein (weiterführende Literaturzitate enthalten die Erläuterungen):
Geologische Karte von Nordrhein-Westfalen 1:25000, mit Erläuterungen. Hrsg. vom Geologischen Landesamt Nordrhein-Westfalen, Krefeld: Blatt 4817 Winterberg (1972), Blatt 4816 Girkhausen (1983), Blatt 4915 Wingeshausen (1993), Blatt 4914 Kirchhundem (1991), Blatt 5015 Erndtebrück (1978), Blatt 5014 Hilchenbach (1970), Blatt 5115 Ewersbach (1990), Blatt 5113 Freudenberg (1968) – Geologische Karte von Preußen und benachbarten deutschen Ländern 1:25000, mit Erläuterungen. Hrsg. Preuß. Geol. L.-Anst., Berlin: Blatt 4916 Berleburg (1934), Blatt 4913 Olpe (1923), Blatt 5016 Laasphe (1930), Blatt 5013 Wenden (1930), Blatt 5114 Siegen (1930), Blatt 5214 Burbach (1934) – Geologische Karte von Nordrhein-Westfalen 1:100000, mit Erläuterungen. Hrsg. vom Geologischen Landesamt

Nordrhein-Westfalen, Krefeld: Blatt C 5114 Siegen (1985), Blatt C 5110 Gummersbach (1983) – Geologische Wanderkarte des Naturparks Rothaargebirge 1:50000. Hrsg. vom Geologischen Landesamt Nordrhein-Westfalen, Krefeld: Nordteil (1992), Südteil (i. Vorb.) – Bodenkarte von Nordrhein-Westfalen 1:50000. Hrsg. vom Geologischen Landesamt Nordrhein Westfalen, Krefeld: Blatt L 4916 Bad Berleburg (1992), Blatt L 4914 Schmallenberg (1991), Blatt L 4912 Olpe (1993), Blatt L 5114 Siegen (1988), Blatt L 5112 Freudenberg (1988).

Friedrich Karl Schneider

Die nacheiszeitliche Vegetations- und Siedlungsgeschichte

Die holozäne Vegetationsentwicklung verlief in den einzelnen Naturräumen des westfälischen Berg- und Hügellandes nicht einheitlich, sondern – wie neuere pollenanalytische Ergebnisse schließen lassen – in den jeweiligen Silikat-, Löß- und Kalklandschaften des südwestfälischen Berglandes regional und kleinräumig verschieden. Das summarische Bild der »klassischen« Waldfolgen setzt sich also periodisch gleichzeitig aus einem Mosaik unterschiedlicher Vegetationstypen zusammen, die sich mit zunehmender Arteneinwanderung immer mehr differenzierten und vervielfältigten. Diese Erkenntnisse sind im wesentlichen auf die pollenanalytischen Untersuchungen von Kleinmooren zurückzuführen, die den Pollenniederschlag ihrer direkten Umgebung wiedergeben. Ihre pollenfloristischen Kombinationen lassen entweder auf feuchtigkeits- und ernährungsbedingte Unterschiede in der Artenzusammensetzung der Vegetation oder zumindest auf regional verschiedene Dominanzverhältnisse der Arten schließen. Ein Vergleich von dicht benachbarten Pollendiagrammen aus den südwestfälischen Montanlandschaften (z. B. Pott 1985a, 1985b) zeigt eine Fülle von Vegetationsveränderungen in der nacheiszeitlichen Landschaftsentwicklung, die auf unterschiedliche Standortfaktoren und menschliche Einwirkungen zurückzuführen sind.
Die wechselvollen Veränderungen des Waldgebirges Südwestfalens von der Vergangenheit bis in die heutige Zeit hinein sollen hier vorgestellt werden. Dabei können zahlreiche paläogeographische und paläobotanische Befunde der letzten Jahre und Jahrzehnte den Werdegang des gegenwärtigen Vegetations- und Landschaftsbildes erhellen. Für die Rekonstruktion der Vegetationsverhältnisse, die Aufdeckung von Entwicklungsvorgängen der Waldentstehung sowie absolute Altersbestimmungen ist vor allem die Pollenanalyse

in Verbindung mit 14C-Radiocarbondatierungen eine erfolgreiche Untersuchungsmethode. Geeignete Objekte für pollenanalytische Untersuchungen sind im allgemeinen Ablagerungen organischen Materials in Form von Nieder- und Hochmooren, die im südwestfälischen Bergland allerdings recht selten und nur lokal von größerer Bedeutung sind.
Eine detaillierte Rekonstruktion vor allem der spätglazialen Epochen des Arktikums und Subarktikums muß deshalb auch für viele Teilregionen und Landschaftsabschnitte des südwestfälischen Berglandes mangels geeigneter Ablagerungen bzw. aufgrund noch bestehender Forschungslücken derzeit unvollständig bleiben. In ihren wesentlichen Zügen wurden diese endpleistozänen Epochen zwar durch über lange Zeiträume ablaufende Klimawandlungen gesteuert, der Vergleich von Kalk- und Silikatlandschaften zeigt beispielsweise aber schon für diese ersten Vegetationsabfolgen der Nacheiszeit z. T. erhebliche durch das Nahrungsangebot bedingte Abweichungen. Von Mensch und Tier hervorgerufene Veränderungen der Vegetationsdecke und deren Ausmaße zeichnen sich im Pollendiagramm vorwiegend durch eine Anreicherung der Nichtbaumpollen, durch Zunahme von Pollen lichtliebender Pflanzen und durch das Auftreten siedlungsanzeigender Pollenarten ab. Als solche werden einerseits Pollen unserer Kulturpflanzen, z. B. der Getreidearten, und zum anderen die Pollen vieler kulturbegleitender Unkrautarten angesehen. Sie dürfen deshalb als besonders zuverlässige Anzeiger für vom Menschen verursachte Einwirkungen gelten.

Der Zustand der Landschaft während und nach der letzten Eiszeit

Während der Zeit des letzten Eishöchststandes, etwa zwischen 18000 und 10000 v. Chr., herrschte im eisfreien Gebiet der westfälischen Mittelgebirge eine kaltkontinentale, arktisch geprägte Tundra, die durch ausgesprochen waldlose Glazialfloren gekennzeichnet war. Paläobotanisch auswertbare Ablagerungen dieser hochbis spätglazialen Phasen sind aus dem Siegerland und dem Wittgensteiner Land bis heute nicht gefunden worden; es ist aber nicht ausgeschlossen, daß die höchsten Höhen des südwestfälischen Berglandes im Rothaargebirge während der Eiszeiten lokal vergletschert waren (Hempel 1983). Charakteristische Oberflächenformen fragmentarischer Firnfelder, karähnliche Strukturen um den Kahlen Asten (841 m) wie auch auf der Ostseite des Langenberges (843 m) lassen für die höchsten Bereiche des Berglandes eine solche Entstehung vermuten. Die endgültige bodenkundliche und paläobotanische Klärung dieser Frage steht aber noch aus.

In den baumlosen Tundren und Hochstaudenfluren der Permafrostböden der ausgehenden Eiszeit waren arktisch-alpine Pflanzengesellschaften im Gebiet des Süderberglandes verbreitet. Sie verleihen noch heute dieser Region einen besonderen pflanzengeographischen Charakter. Vereinzelt vorkommende arktisch-alpine Reliktpflanzen sind dafür anschauliche Beispiele: In den kaltstenothermen Quellbezirken der Alme (Nordsauerland) wächst das Löffelkraut (präalpine Cochlearia pyrenaica); am Ramsbecker Wasserfall beispielsweise findet sich das einzige Vorkommen der gelbblühenden zweiblütigen Veilchen (Viola biflora, amphiarktisch-alpin) auf ihrem wohl nördlichsten Vorposten des alpinen Gebirgsareals. In den Felsen der Bruchhauser Steine hat die arktisch-alpine Alpen-Gänsekresse (Arabis alpina) ihren einzigen Standort in Westfalen. Hochheiden des Kahlen Astens und Neuen Hagens sind vereinzelt durch den subarktisch-alpinen Alpenbärlapp (Lycopodium alpinum) ausgezeichnet. Zu den arktisch-alpinen oder präalpinen Elementen gehören weiterhin Milchlattich (Cicerbita alpina), grauer Alpendost (Adenostyles alliariae) und weiße Pestwurz (Petasites albus), die im Rothaargebirge oftmals zusammen mit platanenblättrigem Hahnenfuß (Ranunculus platanifolius) hochmontane, bachbegleitende Staudenfluren (Typ des Adenostylo-Cicerbitetum) aufbauen. Die Vorkommen all dieser arktisch-alpinen Pflanzen sind Relikte ehemals ausgedehnter eiszeitlicher oder nacheiszeitlicher Areale. Daß sie sich als Wanderrelikte neuerdings zunehmend auf günstige Lokalstandorte ausgebreitet haben, ist für einige Arten sehr wahrscheinlich (Eisenhut: Aconitum, Lattich: Cicerbita, Bärlapp: Lycopodium); das zweiblütige Veilchen und die Alpen-Gänsekresse haben sich aber sicherlich am Reliktstandort seit der Eiszeit festgehalten.

Entwicklung der Wälder nach der letzten Eiszeit

Von den Bäumen leiteten vor rund 12000 Jahren zunächst allein die Birken in lockeren Beständen die Wiederbewaldung ein; kurz darauf folgten Kiefern nach und bildeten zusammen mit den Birken zwischen 10500 und 10000 v. Chr. eine Parktundra aus, bei der vor allem Gräser, Sauergräser, Heidekrautarten sowie Moose und Flechten den Boden bedeckten. Klimabedingte, wechselhafte Phasen der Birken- und Kiefernausbreitung folgten während des Alleröds (10000–8800 v. Chr.) und des anschließenden Jüngeren Subarktikums (8800–8100 v. Chr.), deren Pollenniederschlag für die nördlich angrenzenden Gebiete der Hellwegbörden neuerdings untersucht und datiert werden konnte. Im südwestfälischen Bergland gibt es für diesen Zeitabschnitt der Späteiszeit bislang noch keine auswertbaren Funde; die Vegetationsverhältnisse dürften aber den benachbarten Mittelgebirgen ähnlich und vergleichbar gewesen sein. So darf man mit geringfügigen Änderungen im Vegetationsbild und im zeitlichen Entwicklungsablauf von Gehölzfolgen der Mittelgebirge im Vergleich zu den Tieflandsregionen ausgehen, wie sich ja auch heute noch die höhen- und lageabhängigen Klima- bzw. Vegetationstypen voneinander unterscheiden.
Mit Einsetzen der nacheiszeitlichen Klimaverbesserung im Präboreal, die zur weiträumigen Ausbreitung wärmebedürftiger Holzarten führte, kam es mancherorts zur Bildung von Versumpfungsmooren, deren Wachstum auch im Süderbergland während der Vorwärmezeit oder später eingesetzt hat. Die Phase des Präboreals von 8100–7000 v. Chr. ist pollenfloristisch durch starke Ausbreitung von Kiefer und Birke unter gleichzeitigem Rückgang der krautigen Vegetation gekennzeichnet, wobei die Kiefern von den Tälern bis in die montane Stufe hinein dominiert haben dürften.
In diese präborealen Kiefern-Birkenwälder dringt mit weiterer Klimaverbesserung zu Beginn des Boreals (7000–6000 v. Chr.) die

Hasel (Corylus avellana) ein. Sie breitete sich besonders im Mittelgebirge aus (Pott 1985a). Dabei wird sie vorwiegend die unteren Tallagen und südexponierten Berghänge bevorzugt besiedelt haben; in den höheren Berglagen ist sie erst ab dem Boreal in entsprechenden Pollendiagrammen permanent vertreten.
Mit kontinuierlich ansteigenden Anteilen folgten Ulme (Ulmus spec.), später auch Erle (Alnus glutinosa), Esche (Fraxinus excelsior) und Linde (Tilia spec.).
In den anschließenden 3000 Jahren des Atlantikums entstanden mit der Massenausbreitung von Ulme, Eiche und Linde geschlossene Eichenmischwälder. In den Mittelgebirgen blieb aber – im Gegensatz zu den meist erlenreichen Wäldern der versumpften Flachlandsgebiete – die Erle in ihren Anteilen stark zurück; statt dessen tritt bereits um 3500 v. Chr. die Buche (Fagus sylvatica) in Pollendiagrammen montaner Lagen auf (vgl. Pott 1985a, 1985b) und zeigt von da an eine geschlossene Kurve. In den höchsten Lagen des Sauerlandes (z. B. Ebbegebirgskamm, Rothaargebirgskamm), wo heute krüppelhafte Hochlagen-Buchenwälder mit Rippenfarn (Blechnum spicant), Siebenstern (Trientalis europaea), sprossendem Bärlapp (Lycopodium annotinum) und anderen boreo-montanen Florenelementen stocken, dürfte an Moorrandlagen und geeigneten Feuchtstandorten die Fichte (Picea abies) potentielle natürliche Reliktstandorte haben; sie ist wohl gleichzeitig mit der Buche auch in diese Mittelgebirgsregionen vorgedrungen. Eine Übersicht über die Gesamtentwicklung vermittelt Abbildung 3.

Die Entwicklung der Buchenwälder

Auf die Pioniergehölze Birke, Kiefer und Hasel folgt in den präborealen und borealen Wäldern ein vergleichsweise stabiles Waldbild mit Holzartenkombinationen, die nunmehr als Eichenmischwälder aus Esche, Linde, Ulme und Eiche gebildet werden. Lindenreiche Eichenmischwälder mit wahrscheinlich beträchtlichem Anteil von Hasel im Unterwuchs bestimmten dabei das Vegetationsbild der Mittelgebirge (Budde u. Brockhaus 1954; Pott 1985a). Die Buche tritt dabei vorläufig nur mit Einzelpollen in Erscheinung;

Periode (v. Chr./ n. Chr.)		menschl. Einfluß	Waldentwicklung/ wichtige waldverändernde Faktoren	Auswirkungen auf Vegetation und Landschaft
+ 1500 + 1450 + 1400	Spätmittelalter	1467 „Hauberg", mittelalterlicher Bergbau, **Waldverwüstungsperiode,** Holz- und Waldordnungen	Haubergskulturen, zyklische Wald- und Landnutzungen; Maßnahmen zum Erhalt von Wäldern	
+ 1350 + 1300 + 1250	Mittelalterliche Wüstungen	Agrare Krisen und Siedlungsdepressionen 1311 erste **Lohschälerei**	spontane Rückentwicklung von Buchenwäldern	kurze Wiederbewaldungsphase
+ 1200 + 1100 + 1000	Hochmittelalter	Binnenkolonisation mit Rodungsinseln Kulturlandgewinnung, Neugründung von Dörfern	Entwaldung	hohe Diversität der Vegetation; alle Typen halbnatürlicher Vegetation (Wiesen, Weiden, Niederwälder, Heiden und Triften)
+ 900 + 800 + 700 + 600 + 500	Frühmittelalter	spätkarolingisch-frühottonische Rodungsphase sächsisch-karolingische Rodungen	Subatlantikum Rodungen, extensive Beweidung, Holzschlag	halboffene Landschaften; Vegetation mit Sekundärwäldern, Eichen-Birken-Niederwäldern, Haselhaine und Buchenwäldern
+ 400 + 300 + 200	Völkerwanderungszeit	abnehmender menschlicher Einfluß	kurzfristige Wiederbewaldung vorwiegend mit Buche	
+ 100 ± 0	Römische Zeit	stellenweise römerzeitl. Bleibergbau. Siegerland war Eisenregion des Römerreiches		
- 100 - 200	(Latène-Zeit)	Intensivierung der Eisen- und Holzkohleproduktion	Zunahme von Stockausschlagflächen, wandernder Waldbau	Zunahme der Eichen-Niederwald-Flächen
- 300 - 400 - 500	Eisenzeit	Agrar- u. Bergbausiedlungen mit Vorhüttungsplätzen, Schmieden und Wohnplätzen		
- 600 - 700	(Hallstatt-Zeit)	**Beginn der Eisenschmelzen, Holzkohleproduktion seit 700 v. Chr.**	Entstehung von Wäldern aus Stockausschlag	Niederwälder, Heiden, Ruderalgesellschaften
- 800		bronzezeitliche Expansion und Exploitation		Schaffung halbnatürlicher Vegetationseinheiten
- 900 - 1000 - 2000	Bronzezeit	Beginn der Kolonisation, **neolithische Landnahme** 2000 v. Chr. erster Ackerbau	Subboreal Massenausbreitung der Buche; Ausbildung von Buchenwäldern	Erste Eingriffe in die Waldlandschaft; offene, instabile Vegetation, erste Sukzessionsstadien
- 3000 - 4000	Steinzeit		Atlantikum erste Ausbreitung der Buche (Fagus sylvatica) im Eichenmischwald	geschlossene Wälder vor dem Eingriff des Menschen

Abb. 3 Geschichte der Wälder des südwestfälischen Berglandes unter dem Einfluß des Menschen.

erst seit etwa 3500 v. Chr. setzt eine geschlossene Buchenkurve ein, wobei die Buche bei gleichzeitigem Rückgang von Eichenmischwaldelementen im Subboreal stark ansteigt und um 1995 ± 90 v. Chr. bei reduzierter Pollenberechnung einen Anteil von 60 bis 85% der Gesamtbaumpollensumme erreicht. Mit steigender Buchenkurve gehen naturgemäß die Pollenspektren der lichtliebenden Hasel zurück. Auffällig ist dabei das Verhältnis zwischen der Ausbreitung der Buche, dem Rückgang von Linde, Ulme und Eiche sowie der Hasel. Gründe für das Übereinstimmen des gegenläufigen Verhaltens der Pollenspektren dieser Laubgehölze an der Wende des Atlantikums zum Subboreal gegen 3000 v. Chr. dürften folgende sein:
Die montanen Buchenwälder haben sich langsam, in mehreren Schüben, formiert, auf Kosten der Eichenmischwälder. Ulmen- und Lindenrückgang erfolgten allmählich über einen langen Zeitraum hinweg, so daß nach Wegfall der Lindenkonkurrenz die Buche dicht schließen und nun allein vorherrschender Waldbaum werden konnte. Die Buche drängt dabei als Schattholzart die lichtliebenden Laubgehölze, vor allem die Hasel zurück; Buchen und Linden zeigen als Schattholzarten zudem ähnliche Standortansprüche, so daß nach erster Etablierung der Buchen auf besseren Böden die Linden im Konkurrenzkampf auf Dauer unterlegen sind. Der Abnahme der Linden- und Ulmenspektren können somit lokale, konkurrenzbedingte Ursachen oder vielleicht auch schädlingsbedingte Rückschläge durch den Pilz Graphium ulmi zugrunde liegen, wodurch Schwankungen über längere Zeiträume von Ulmen- und Lindenwerten vor dem eigentlichen Ulmenfall zu Beginn des Subboreals in anderen Gebieten erklärt werden könnten. Während der Buchenausbreitung erfolgten aber auch in den Mittelgebirgen erste stärkere Eingriffe spätneolithischer bzw. bronzezeitlicher Menschen; dem Rückgang der Linden- und Ulmenpollenprozente steht wiederum ein Anstieg der Siedlungsanzeigerpollenspektren gegenüber, der durch neolithische Landnahmen bedingt sein kann. Am Anfang des Subatlantikums, seit etwa 1100 v. Chr., gelangte die Buche schließlich in den montanen Wäldern zur absoluten Vorherrschaft. Durch ihre bodenbedingten und klimatischen

Wettbewerbsvorteile entfaltete die Buche in den südwestfälischen Mittelgebirgen über standörtliche Differenzen hinweg in allen Höhenstufen bis in die höchsten Berglagen ihre enorme Konkurrenzkraft; dabei sparte sie nur die Auenlagen aus. Hierhin konnte die Hainbuche (Carpinus betulus) vordringen, wo sie sich auf schweren und staufeuchten Lehmböden in der Konkurrenz zur Buche hat etablieren können.

Im relativ einheitlichen Waldgebirge Südwestfalens treten als potentielle natürliche Waldgesellschaften über Silikatverwitterungsböden devonischer Sand- und Tonsteine vor allem großflächige Buchenwälder (vom Typ des Luzulo-Fagetum) auf. Diese Charaktergesellschaft basenarmer Ranker und Braunerden nimmt insbesondere submontane und montane Höhenlagen ein, wobei im wesentlichen strauch- und krautarme Hallenwälder mit ausschließlicher Dominanz der Buche ausgebildet sind (Pott 1992), die sich aber je nach standörtlicher Situation in verschiedene Gesellschaftsausbildungen differenzieren lassen.

Die Vegetationsentwicklung unter dem Einfluß des Menschen

Unter dem jahrhundertelangen Einfluß des Menschen hat sich das Bild der früher recht einförmigen Buchenwälder erheblich gewandelt. Durch Übernutzung wurden die Wälder verwüstet, die Waldstandorte und ihre Böden zum Teil verändert, durch ausgedehnte Land- und Waldwirtschaft sogar völlig zerstört. Später wurden die Flächen wieder aufgeforstet.

Früher wurde der Wald nicht nur als Bau- und Brennholzreservoir genutzt, sondern auch als Weide für Rinder, Schafe und Ziegen. Er lieferte Streu und Laub für die winterliche Stallhaltung und -fütterung des Viehs. Außerdem diente der Wald mancherorts auf ein und derselben Fläche als Stangenholzlieferant zum Meilerbetrieb für lokale Eisenverhüttung sowie phasenweise als Acker. Dabei lassen sich im südwestfälischen Bergland schon recht früh landesherrlich angeordnete Wirtschaftsunterschiede feststellen, wobei die östlichen Landesteile schon bald dem Wald- und Forstbann unterzogen wurden. Eine Grenze, die die südlichen und westlichen Landesteile mit genossenschaftlich betriebener Niederwaldnutzung in Form der Haubergswirtschaft von den Waldbereichen in klösterlichem oder landesherrlichem Besitz trennt, verläuft nach Budde u. Brockhaus (1954) etwa an der Grenze Wittgenstein-Siegerland entlang an Hilchenbach, Brachthausen, Oberhundem und Kirchhundem vorbei und zieht in Richtung Fretter zur Ruhr hin.

Einflußnahmen des Menschen in der Vor- und Frühgeschichte

Die landschafts- und vegetationsbestimmende Umwandlung der Buchenwälder durch den Menschen ist zusammenfassend in Abbildung 3 dargestellt. Die genaue Entwicklung zeigt sich auch pollenanalytisch an Profilen aus kleinen Mooren des Siegerlandes, wo sich unter Zunahme der Rodungs- und Siedlungsaktivitäten vor allem seit der Hallstattzeit (715 +/− 105 v. Chr., Moor in Erndtebrück, vgl. Abb. 4) ein langsamer Wandel von Silikatbuchenwäldern in Eichen-Birken-Niederwälder vollzogen hat. Während der Latènezeit und erst recht bei Einsetzen fränkischer Landnahmephasen von 800–900 n. Chr. erhöhte sich der Niederwaldflächenanteil und dürfte seitdem in einigen Regionen landschaftsbestimmend geworden sein.

Mittelalterliche Rodungen und Waldveränderungen

Nach dem Rückgang der Siedlungen während der Völkerwanderung und dem Ausbleiben siedlungsanzeigender Pollen in den Mooren des Süderberglandes zeigt sich nach Pott (1985a) in den Pollendiagrammen von Erndtebrück und vom Giller (Edergebirge) eine Wiederherstellung der Buchenwälder (Abb. 4 und 5). Landnahmen im 8. Jahrhundert mit entsprechendem Landesausbau und Rodungstätigkeiten führten in der Mitte des 9. Jahrhunderts unter gleichzeitiger Zunahme der Bevölkerung zu immer neuen Siedlungsphasen, wobei die Siedler in bislang unbesiedelte Waldwildnis oder in Gebiete mit Sekundärwäldern vordrangen und

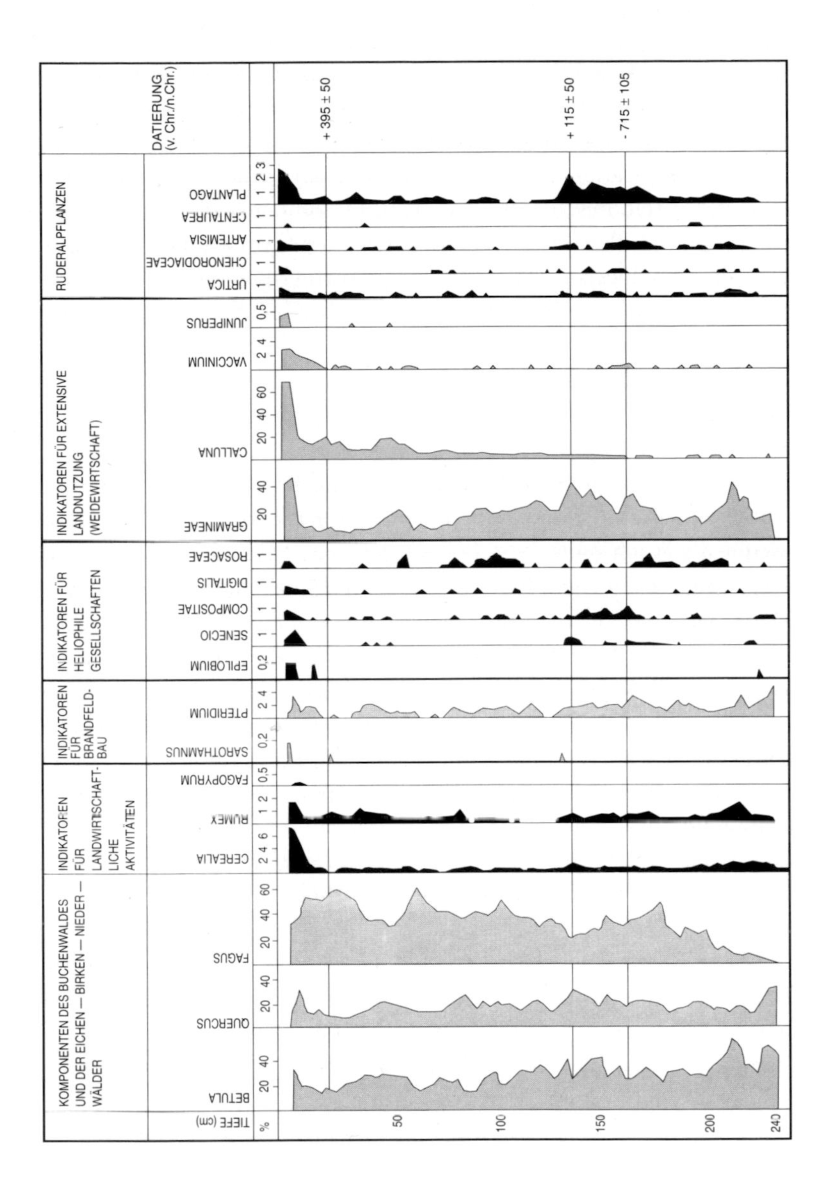

Abb. 4 Ausschnitt eines Pollendiagramms von Erndtebrück (470 m NN) mit dem Nachweis vor- und frühgeschichtlicher Waldveränderungen seit der Hallstattzeit. Nach Pott 1985a.

dabei neue Hofstellen begründeten. Zeugen dieser spätkarolingisch-frühottonischen Rodungsphase sind die zahlreichen »-inghausen«-Orte. In einer zweiten Phase der hochmittelalterlichen Binnenkolonisation bis zum 13. Jahrhundert wurden immer neue Rodungsinseln geschaffen, die bis in Höhenlagen über 400 m verbreitet waren. Ausschlaggebend bei der Standortwahl solcher mittelalterlichen Siedlungsgründungen war stets eine möglichst geringe Entfernung zum Wasser. So wurden die Gehöfte – an Auen oder an Quellen orientiert – zunächst in den Tallagen angelegt, wobei der feuchte Talgrund der Aue als Futterbasis für die Waldhude und die Grasheugewinnung genutzt wurde und geeignete trockenere Talhänge dem Ackerbau dienten.

Diese mittelalterliche Rodungsperiode und Kulturlandgewinnung, mit Neugründung und Erweiterung von Gehöften und Dörfern durch die wachsende Bevölkerung, einem extensiven Wald- und Landbau, dem steigenden Bedürfnis an Weide- und Ackerflächen, Bau-, Brand- und Kohlholz, leiteten gravierende Veränderungen im Waldbild ein. Die Pollendiagramme der Abbildungen 4 und 5 zeigen die Auswirkungen solcher Landnahmeprozesse nach intensiver Brandrodung. Die Kurven des Adlerfarns (Pteridium aquilinum), der bevorzugt nach Brandphasen auftritt, sowie meist hohe Einträge von Gras- und Heide-Pollen in die Moore, die höchstwahrscheinlich auf Waldöffnungen nach Köhlertätigkeiten mit Rennfeuerhütten im Walde zurückzuführen sind, verdeutlichen in Abbildung 5 diese intensiven mittelalterlichen Brandrodungswellen.

Anstelle potentieller natürlicher Buchenwälder erfahren nun die Sekundär- und Ersatzformationen stärkere Ausweitungen und prägen von nun an in beträchtlichem Umfang das Vegetations- und Landschaftsbild. Zahlreiche Vegetationstypen und Pflanzengesellschaften wie Niederwälder, Schlagfluren, Verlichtungs- und Vorwaldgesellschaften sowie ginster- und wacholderreiche Heiden

Abb. 5 Ausschnitt eines Pollendiagramms aus dem Ederkopfbereich/südliches Rothaargebirge (Moor am Giller, 600 m NN). Hier ist vor allem die Landnutzung seit der frühmittelalterlichen Rodungsperiode repräsentiert. Nach Pott 1985a.

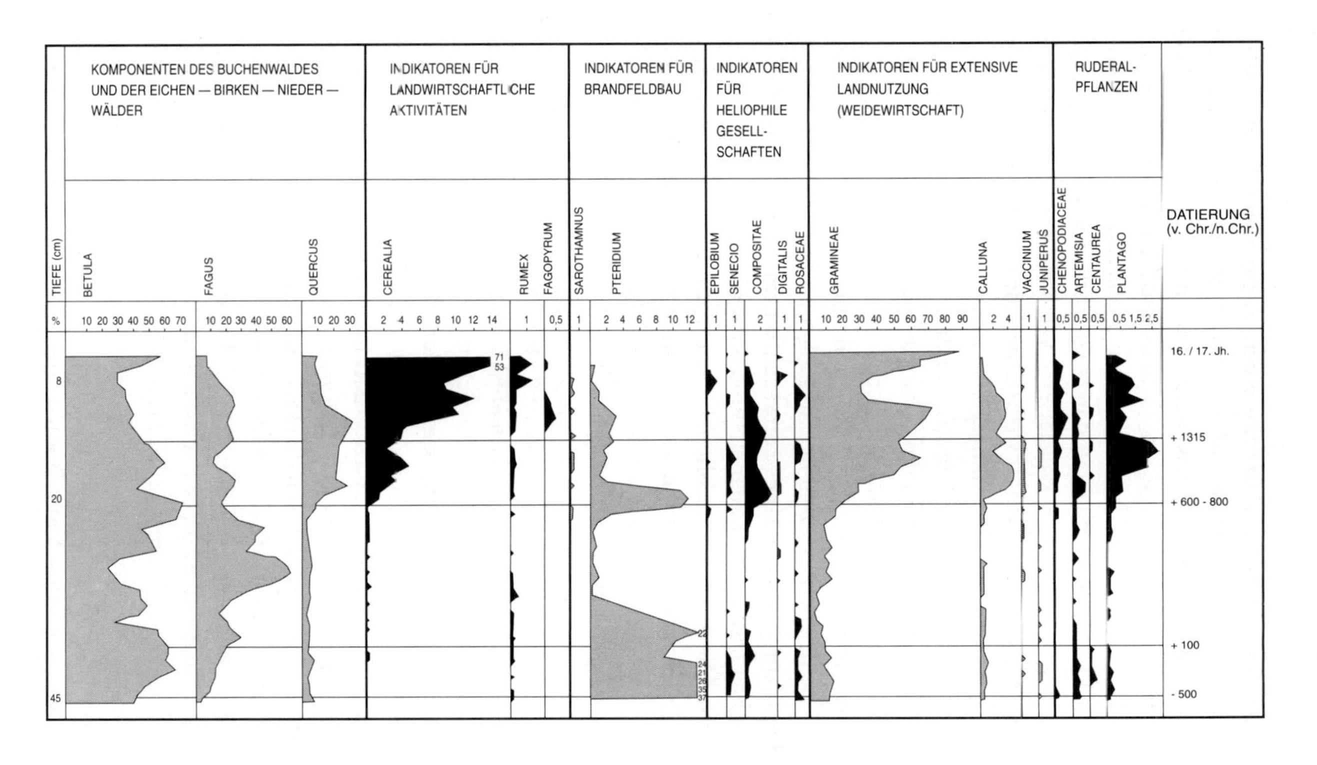

KOMPONENTEN DES BUCHENWALDES UND DER EICHEN — BIRKEN — NIEDER — WÄLDER
INDIKATOREN FÜR LANDWIRTSCHAFTLICHE AKTIVITÄTEN
INDIKATOREN FÜR BRANDFELDBAU
INDIKATOREN FÜR HELIOPHILE GESELL-SCHAFTEN
INDIKATOREN FÜR EXTENSIVE LANDNUTZUNG (WEIDEWIRTSCHAFT)
RUDERAL-PFLANZEN
DATIERUNG (v. Chr./n.Chr.)
TIEFE (cm)
%
BETULA
FAGUS
QUERCUS
CEREALIA
RUMEX
FAGOPYRUM
SAROTHAMNUS
PTERIDIUM
EPILOBIUM
SENECIO
COMPOSITAE
DIGITALIS
ROSACEAE
GRAMINEAE
CALLUNA
VACCINIUM
JUNIPERUS
CHENOPODIACEAE
ARTEMISIA
CENTAUREA
PLANTAGO
8
20
45
16. / 17. Jh.
+ 1315
+ 600 - 800
+ 100
- 500

entstehen durch Übernutzung einer ungeregelten Landwirtschaft und führen zur Öffnung der ehemals geschlossenen Waldlandschaft. Das hohe Maß der Waldauflichtung setzt sich bis zur Gegenwart fort. Nur während des mittelalterlichen Wüstungsprozesses im 14. Jahrhundert, der sich mit einem Wüstungsquotienten von etwa 30% ausgewirkt hat und nach Radiocarbondatierungen gegen 1315 ± 70 n. Chr. eine kurzfristige Siedlungsdepression mit spontaner Rückentwicklung des Buchenwaldes zeigt (Abb. 5), kommt es sogar zur Wiederbewaldung ehemaliger Freiflächen.
Selbstverständlich kann der Verlauf von Baumpollenkurven allein noch keinen Einblick in das Ausmaß der Waldauflichtung an sich vermitteln, weil die Summe aller Baumpollen in jedem Spektrum gleich 100% gesetzt wird. Erst ein Vergleich der Baumpollensumme mit dem Pollenanteil der Sträucher und Kräuter, die im selben Spektrum enthalten sind, bietet Aufschlüsse über die Waldbedekkung. Deutlich tritt in den Pollendiagrammen hervor, daß der natürliche Wald – einschließlich der Bäume feuchter und nasser, also auch mooreigener Standorte – im frühen Mittelalter beginnend an Wuchsraum verliert. Diese Verlichtung geht im Süderbergland überwiegend auf Kosten der Buche.

Niederwald- und Haubergswirtschaft

Im Anschluß an die spätmittelalterliche Wüstungsperiode um 1350–1450 n. Chr. lassen erhebliche Veränderungen in den Baumpollenkurven keinen Zweifel darüber, daß eine immer stärkere Waldflächenreduktion und auf menschliche Eingriffe zurückgehende Überformung der Wälder zugunsten von Eichen-Birken-Niederwäldern eingesetzt hatte. Im steilen Anstieg der Gräser- und Heide-Pollenkurven (Abb. 4 und 5) kündigt sich bis in die Neuzeit hinein eine Öffnung der Landschaft mit Ausbildung charakteristischer Hutungsflächen und Haubergsbereiche an. Eine besondere Form der Niederwälder waren die Hauberge, die sich vor allem im Siegerland und südlichen Sauerland im Zusammenhang mit dem enormen Holzkohlenverbrauch für die Eisenverhüttung entwikkelt haben (zur Nutzung der Hauberge vgl. u. a. Fickeler 1954; Seibert 1966; Ranke u. Korff 1980; Egidi u. Hünerberg 1981; Pott 1985b, 1990).

Das aktuelle Areal der Buchenwälder (»Luzulo-Fagetum«) ist damit durch die jahrtausendelange extensive Niederwald- und Haubergswirtschaft stark eingeengt worden. So finden sich heute vor allem im Siegerland bis etwa 500 m Meereshöhe noch umfangreiche Niederwälder, deren Holzartenkombination nicht mehr aus der Buche, sondern aufgrund von Selektionsprozessen bei andauernder Stockausschlagwirtschaft und Rindennutzung aus lichtliebenden und regenerationskräftigen Eichen- und Birkenstangengehölzen bestehen (Abb. 6). Sie werden heute vielfach mit Fichten aufgeforstet.

Abb. 6 Haubergslandschaft mit weitflächigen Niederwaldparzellen unterschiedlichen Alters im Siegerland bei Walpersdorf.

Literatur:

H. Budde, W. Brockhaus, Die Vegetation des Südwestfälischen Berglandes. Decheniana 102 B, 1954, 47–275 – R. Egidi, W. Hünerberg, Die Technik der Haubergswirtschaft im Siegerland. Allgemeine Forstzeitschrift 23, 1981, 574–576 – P. Fickeler, Das Siegerland als Beispiel wirtschaftsgeschichtlicher und wirtschaftsgeographischer Harmonie. Erdkunde 8, 1, 1954, 15–51 – L. Hempel, Westfalens Gebirgs-, Berg-, Hügel- und Tiefländer – ein geomorphologischer Überblick. In: P. Weber, K.-F. Schreiber, Westfalen und angrenzende Regionen, 44. Dtsch. Geographentag, I. Paderborn (= Münstersche Geogr. Arb. 15, 1983, 9–26) – R. Pott, Beiträge zur Wald- und Siedlungsentwicklung des Westfälischen Berg- und Hügellandes aufgrund neuer pollenanalytischer Untersuchungen. Siedlung u. Landschaft 17, 1985 (zitiert: 1985a) 1–38 – Ders., Vegetationsgeschichtliche und pflanzen- soziologische Untersuchungen zur Niederwaldwirtschaft in Westfalen. Abh. Westf. Mus. Naturkde. 47, 4. 1985 (zitiert: 1985b) – Ders., Die Haubergswirtschaft im Siegerland. Vegetationsgeschichte, extensive Holz- und Landnutzungen im Niederwaldgebiet des Südwestfälischen Berglandes. Wilhelm Münker Stiftung Heft 28, 1990, 1–41 – Ders., Die Pflanzengesellschaften Deutschlands. UTB-Große Reihe (1. Aufl. 1992) – W. Ranke, G. Korff, Hauberg und Eisen, Landwirtschaft und Industrie im Siegerland um 1900. Text- und Bildband. (1980) – P. Seibert, Der Einfluß der Niederwaldwirtschaft auf die Vegetation. Ber. Int. Symp. Vegetationskde. »Anthropogene Vegetation« (1966) 336–346.

Richard Pott

Vor- und Frühgeschichtsforschung im Kreis Siegen-Wittgenstein

Die archäologische Denkmalpflege in Südwestfalen steht vor Problemen, wie sie in anderen Landesteilen nicht auftreten. Ein hoher Waldanteil, die heute dominierende Weidewirtschaft und eine intensive landwirtschaftliche Nutzung in der Vergangenheit, etwa in Form der Haubergswirtschaft erschweren die Auffindung neuer Bodendenkmäler. Andererseits führten diese Faktoren, wie Grabungen jüngst zeigten, zu starken Eingriffen und Verlusten an Bodendenkmälern.

Es erstaunt deshalb nicht, wenn die Archäologie im südwestfälischen Bergland – sieht man von den obertägig erhaltenen Burgen einmal ab – nie den gleichen Stellenwert besaß wie im übrigen Westfalen. Verstärkt wurde diese ungünstige Ausgangssituation durch die geographische Randlage innerhalb Westfalens. Auch der 1825 gegründete »Verein für Geschichte und Alterthumskunde Westfalens«, der als ehrenamtlicher Träger der »Bodendenkmalpflege« im 19. und frühen 20. Jahrhundert fungierte, fand hier trotz des vorhandenen historischen Interesses nicht den gleichen Anklang wie in anderen Landesteilen (Kruse 1936). Die Resonanz auf archäologische Themen blieb daher lokal beschränkt. So wurde 1824 der Kindelsberg (vgl. S. 139ff.) in der »Siegener Zeitung« beschrieben, 1827 folgte die Alte Burg bei Afholderbach bzw. Obernau. Im Jahr 1828 wurden Funde aus Littfeld vorgestellt, die der Autor mit dem sagenhaften Untergang einer Stadt auf dem Altenberg (vgl. S. 129ff.) in Verbindung bringen wollte.

Die allgemeine Belebung des Heimatgedankens in der zweiten Hälfte des 19. Jahrhunderts führte am 7. September 1879 zur Gründung des »Vereins für Urgeschichte und Alterthumskunde in den Kreisen Siegen, Olpe, Wittgenstein und Altenkirchen«. Die Gründungsversammlung strebte einen Zusammenschluß aller interes-

sierten Personen im heutigen Dreiländereck zwischen Hessen, Rheinland-Pfalz und Nordrhein-Westfalen an. Bergrat Th. Hundt nannte als Aufgabe des neuen Vereins u. a., »daß eine prähistorische Karte unserer Gegend geschaffen wird, welche alles enthält, was Spuren uralter Kultur zeigt« (Kruse 1936). In der Vereinszeitschrift erschienen in den Folgejahren zahlreiche Auflistungen, Vermessungen und Beschreibungen der vorhandenen vor- und frühgeschichtlichen sowie mittelalterlichen Befestigungen und der nicht weniger wichtigen Reste früher Eisenerzverarbeitung (Hundt 1881). Die aufwendigen, nur von wenigen Mitgliedern getragenen Geländearbeiten überforderten die Möglichkeiten eines solchen Vereins. Er stellte bereits 1887 seine Tätigkeit ein.
Im Jahre 1911 trat an seine Stelle der »Verein für Heimatkunde und Heimatschutz im Siegerland samt Nachbargebieten«, 1913 konstituierte sich der »Verein für Wittgensteinsche Geschichte und Volkskunde«. Die Neugründung des Siegener Vereins fiel in eine Periode reger archäologischer Tätigkeit. 1911 begannen Ausgrabungen in der jenseits der Landesgrenze gelegenen eisenzeitlichen Burg von Rittershausen mit einer starken Signalwirkung auf das Siegerland. C. Schuchhardt besichtigte anläßlich eines Besuches in Rittershausen auch Siegerländer Fundplätze und hielt im November 1912 einen Vortrag im Siegener Verein. Die 1896 vom »Verein für Geschichte und Altertumskunde Westfalens« in Münster gegründete Altertumskommission zeigte reges Interesse an den Wallburgen im südlichen Westfalen (Wormstall 1899). Das preußische Ausgrabungsgesetz von 1914 legte, zusammen mit den Ausführungsbestimmungen von 1920, den Grundstock für eine verstärkte archäologische Aktivität im Lande. Am 27. Februar 1922 wurde der Geheime Regierungsrat Dr. F. Thomeé, Altena, zum ehrenamtlichen »Staatlichen Vertrauensmann für kulturgeschichtliche Bodenaltertümer« für das westfälische Bergland ernannt, dem der Studienrat und spätere Siegener Museumsdirektor Dr. H. Kruse (1882–1941) im Amt nachfolgte, unterstützt von Oberstudienrat H. Böttger (1884–1957), seinem Stellvertreter. Beide Namen sind gleichbedeutend mit der Vorgeschichtsforschung des Siegen-Wittgensteiner Raumes, und beide haben durch ihren Lehramtsberuf

Schüler, z. B. H. Behaghel, für die Archäologie zu interessieren gewußt.
H. Kruse ist es zu verdanken, daß im südlichen Bergland gezielt mit der Erforschung der Wallburgen begonnen wurde. Unterstützung fand er dabei in der Altertumskommission und seit 1925 in A. Stieren, dem Nestor der westfälischen Ringwallforschung. Im Jahre 1919 wurde die Alte Burg bei Afholderbach bzw. Obernau neu vermessen (Atlas 1920; vgl. S. 144). Untersuchungen fanden 1927 in der Burg bei Burbach (vgl. S. 117), auf dem Kindelsberg (vgl. S. 139), dem Burggraben (vgl. S. 148) und in der Burg bei Aue (vgl. S. 107) statt. In den Jahren 1932/33 folgten weitere umfangreiche Ringwallgrabungen unter örtlicher Leitung von K. Langenheim, einem Mitarbeiter der »Reichsanstalt für deutsche Vorgeschichte«, Berlin, und H. Behaghel.
Neben der Erforschung der Wehrbauten standen im Siegerland die Bemühungen um die Anfänge der Eisenverhüttung im Mittelpunkt des Interesses. Der »Verein für Urgeschichte und Alterthumskunde in den Kreisen Siegen, Olpe, Wittgenstein und Altenkirchen« hatte seinerzeit mit der Kartierung der »Schlackenhalden« begonnen. H. Böttger nahm dann seit der Mitte der zwanziger Jahre die auf Schlacken- und Hüttenrelikte deutenden Flurnamen auf und motivierte O. Krasa, entsprechenden Hinweisen im Gelände nachzugehen. Im Jahre 1930 konnte am Rotenberg bei Oberschelden (vgl. S. 157) ein eisenzeitlicher Schmelzofen freigelegt werden, 1933/1934 fanden in der Engsbach und Minnerbach umfangreiche Ausgrabungen statt. Die dabei geborgenen eisenzeitlichen Scherben wurden 1934 auf dem »Siegener Eisenhüttentag« einem breiteren Publikum vorgestellt.
Mit der Ernennung A. Stierens zum »Vertrauensmann« für Gesamtwestfalen im Jahre 1934 »zum Zwecke der einheitlichen Gestaltung der Ausgrabungsarbeiten« begann, wenn auch langsam, die Institutionalisierung der Bodendenkmalpflege. Im Siegerland führte H. Beck umfangreiche Untersuchungen durch: 1936 in der Engsbach, 1937 und 1939 in Trupbach, 1937 in Niederschelden und Alchen, 1938 im Hasenborn, 1939 in Plittershagen. Das dabei gewonnene reiche eisenzeitliche Material wurde von H. Behaghel

in seiner Dissertation »Die Eisenzeit im Raume des Rechtsrheinischen Schiefergebirges« ausgewertet (Behaghel 1943). Die vielfältigen mit diesem Fundstoff verbundenen Fragestellungen veranlaßten die Römisch-Germanische Kommission, am 11. und 12. April 1939 in Siegen eine Tagung »Die westgermanische Kultur der Spätlatènezeit« abzuhalten. Die Bemühungen A. Stierens, die Bodendenkmalpflege zu dezentralisieren, um »das Gebiet des Regierungsbezirkes Arnsberg nachhaltiger, als dies seither allein von Münster aus möglich sein konnte, zu betreuen«, führten am 1. Mai 1939 zur Einrichtung der »Außenstelle Arnsberg«, deren Leitung H. Beck übernahm.

Als H. Beck 1951 den Forschungsstand der Besiedlung des westfälischen Berglandes vorlegte (Beck 1951), konnte er für die südlichste Region nur wenige Siedlungshinweise benennen. Spärliche mesolithische Funde deuteten auf sporadische Anwesenheit von Menschen hin. Neolithische Einzelfunde hatten dagegen seit den dreißiger Jahren derart zugenommen, daß Beck von einer zwar dünnen, aber dauerhaften Besiedlung ausgehen konnte. Die Eisenzeit hob sich durch ihren Fundreichtum im Altkreis Siegen deutlich von den älteren Perioden ab. An diesem Bild sollte sich bis in die sechziger Jahre hinein wenig ändern. Der Schwerpunkt archäologischer Arbeit lag im Siegerland weiterhin in der Erforschung der frühen Eisenschmelzen und der damit in Verbindung gebrachten Podien. Wiederaufbaumaßnahmen in der Altstadt Siegen führten zu kleineren Grabungen (Aschemeyer 1955). Baumaßnahmen im ländlichen Raum machten vereinzelte, häufig von Helfern vor Ort durchgeführte Grabungen notwendig. Die einer erfolgreichen archäologischen Arbeit abträgliche weite Distanz zwischen den hauptamtlichen Denkmalpflegern in Münster und ihren lokalen Helfern vertiefte sich, als 1960 die Außenstelle Arnsberg aufgelöst wurde. In der Folgezeit fanden nur noch vereinzelt Grabungen des Landesmuseums für Vor- und Frühgeschichte und des Westfälischen Amtes für Denkmalpflege im südlichen Westfalen statt.

H. Beck sprach sich in seiner Übersicht 1951, auch wenn ihm vermutlich der schlechte Forschungsstand dabei vor Augen stand, für eine nur dünne Besiedlung des Berglandes aus. Neuere Ergebnisse zur Eisenzeit machen aber deutlich, daß man dem Forschungsstand mehr Bedeutung beimessen muß, als dies in der Vergangenheit geschah. Ehrenamtliche Mitarbeiter im Raum Bad Berleburg konnten durch intensive Geländebegehungen die Fundstatistik nachhaltig verändern: Den sechs ursprünglich bekannten eisenzeitlichen Fundstellen, davon fünf Burgen, stehen dort heute mehr als 130 neue gegenüber. Man wird davon ausgehen müssen, daß im übrigen Mittelgebirge, aus denen ebenfalls Burgen dieser Zeit bekannt sind, mit einer vergleichbar dichten Besiedlung zu rechnen ist. Die steigende Zahl auch mesolithischer und frühgeschichtlicher Fundstellen im Wirkungsbereich ehrenamtlicher Mitarbeiter unterstreicht diese Annahme und zeigt, daß das westfälische Bergland nicht siedlungsleer war. Die Außenstelle Olpe des Westfälischen Museums für Archäologie – Amt für Bodendenkmalpflege, die im Rahmen des 1980 in Kraft getretenen nordrhein-westfälischen Denkmalschutzgesetzes eingerichtet wurde, soll diesen Überlegungen Rechnung tragen und versuchen, gerade im Bergland die Forschungslücken allmählich zu schließen.

Literatur:

H. Aschemeyer, Ein frühmittelalterlicher Hausgrundriß in Siegen, Kr. Siegen. Siegerland 32, 1955, 81–84 – Atlas vor- und frühgeschichtlicher Befestigungen in Westfalen. Hrsg. im Auftrag der Altertumskommission für Westfalen von F. Biermann u. J. H. Schmedding (1920) – H. Beck, Zur vor- und frühgeschichtlichen Besiedlung Südwestfalens. Westfalen 29, 1951, 9–26 – H. Behaghel, Die Eisenzeit im Raume des Rechtsrheinischen Schiefergebirges (1943) – H. Böttger, Gang der frühesten Besiedlung des Siegerlandes. Bodenaltertümer Westfalens 3, 1934, 159–170 – Ders., »Verehrter Herr Professor Stieren«. Siegerland 32, 1955, 69–70 – J. W. Gilles, 25 Jahre Siegerländer Vorgeschichtsforschung durch Grabungen auf alten Eisenhüttenplätzen. Archiv für Eisenhüttenwesen 28, 1957, 179–185 – P. R. Hömberg, Zur vor- und frühgeschichtlichen Erforschung des westfälischen Mittelgebirges. Kölner Jahrbuch 23, 1990, 635–641 – Th. Hundt, Über Waldschmieden im Siegerland. Blätter des Vereins für Urgeschichte und Alterthumskunde in den Kreisen Siegen, Olpe, Wittgenstein und Altenkirchen, 11, 1881, 86 – O. Krasa, Wie mir der Nachweis vorgeschichtlicher Eisenverhüttung im Siegerland gelang. Siegerländer Heimatkalender 28, 1953, 40–43 – Ders., Neue Forschungen zur vor- und frühgeschichtlichen Eisenindustrie im Siegerland. Westfälische Forschungen 8, 1955, 194–197 – H. Kruse, Die vorgeschichtliche Eisengewinnung im Siegerland! Zum Siegener Eisenhüttentag am 3. Oktober 1934. Siegerland 16, 1934, 146–149 – Ders., Ein Beitrag zur Geschichte der Siegerländer Geschichtsschreibung und Volkskunde, zur 25-Jahrfeier des Vereins für Heimatkunde und Heimatschutz.

Siegerland 18, 1936, 4–14 – Ders., Ansprache von Dr. Hans Kruse anläßlich der Feierstunde des Vereins für Heimatkunde und Heimatschutz im Siegerlande am 26. April 1936. Siegerland 18, 1936, 44–51 – M. Sönnecken u. P. Theis, Frühmittelalterliche Waldschmiedesiedlung in der oberen Fludersbach bei Siegen. Siegerland 40, 1963, 61–64 – A. Wormstall, Übersicht über die vor- und frühgeschichtlichen Wallburgen, Lager und Schanzen in Westfalen, Lippe-Detmold und Waldeck. Mitteilungen der Altertumskommission 1, 1899, 1–30.

Philipp R. Hömberg

Die Steinzeiten

Das Siegerland ist Teil eines waldreichen Mittelgebirges, das als archäologische Fundlandschaft durch die sehr unterschiedlichen Auffindungsbedingungen in den verschiedenen Perioden der Vorgeschichte geprägt ist (vgl. Hömberg 1989). Die Fundplätze des Mesolithikums bieten weniger gute Chancen entdeckt zu werden als solche des Neolithikums. Den 40 Fundpunkten mit neolithischem Material stehen 29 des Mesolithikums gegenüber, wobei auch Vermischungen beider Perioden auf einigen Fundplätzen zu verzeichnen sind. Das Paläolithikum ist durch einen einzigen Fund vertreten. Auf 40 weiteren Fundstellen wurden bisher Abschlagmaterial, aber keine chronologisch ansprechbare Formen gefunden, so daß man hier nur allgemein von steinzeitlichen Fundstellen sprechen kann. Alle diese Oberflächenfundstellen sind von ehrenamtlichen Mitarbeitern entdeckt worden (Abb. 7). Von der mesolithischen Fundstelle »Wittig« bei Netphen liegen archäologische Untersuchungen vor (Sönnecken 1962; Frank 1986).
Paläolithische Formen sind bisher allein durch eine spätpaläolithische Rückenspitze vom Fundplatz »Busenbach« belegt, wo sie mit meso- und neolithischen Artefakten vergesellschaftet ist (Abb. 8,1). Sie unterscheidet sich auch im Rohmaterial – einem bläulichweiß patinierten Feuerstein – deutlich von den überwiegend aus lokalem Kieselschiefer gefertigten mesolithischen Artefakten. Ungeachtet der Diskussion, ob und wie weit spätpaläolithische Formen in das Mesolithikum reichen, kann dieses Einzelstück vorerst nur als Streufund des Spätpaläolithikums gewertet werden.
Aus dem Mesolithikum liegen die meisten Funde vor, bisher etwa 20 000 Artefakte. Die Grundlage unserer Kenntnis wurde durch die intensive Sammeltätigkeit von P. Theis, W. Knop und H. Baldsiefen geschaffen, die im Altkreis Siegen aktiv waren. Die Fundstellen befinden sich ausnahmslos auf den Höhen, meist in südlicher

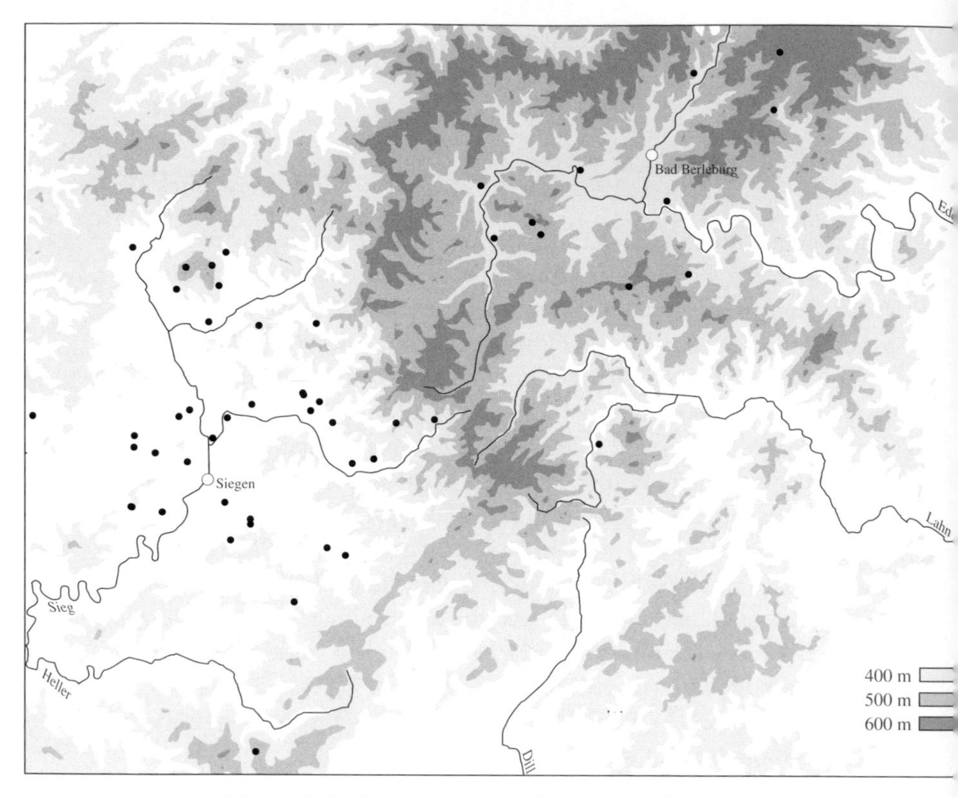

Abb. 7 Verbreitungskarte steinzeitlicher Fundstellen. M. 1:450000.

Hanglage unweit von Quellen. Als eine der bedeutendsten Fundstellen dieser Art ist der Wittig bei Netphen zu bezeichnen (Arora 1976 u. 1979; Frank 1986). Aufgrund typologischer Parallelen zu den Mikrolithspektren absolut datierter Fundplätze gehört das Material vom Wittig in das frühe Mesolithikum, wahrscheinlich in den Übergang vom Präboreal zum Boreal um 7000 v. Chr. (Arora 1976). In diesen nacheiszeitlichen Abschnitten fand eine rasche Erwärmung zu einem trocken-warmen, kontinental geprägten Klima statt. Da für diesen Zeitraum im Siegerland pollenanalytische Profile fehlen, kann (Firbas 1949) ein lichter Birken-, Kiefern- und zunehmender Haselbestand angenommen werden. Seine Fau-

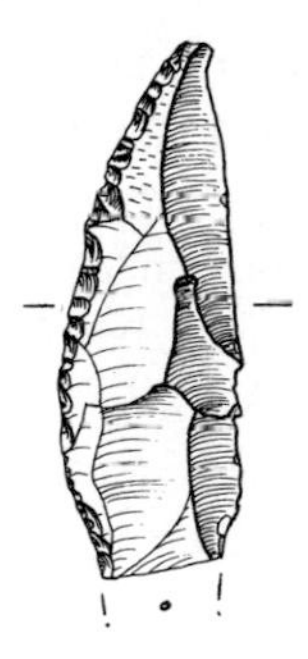
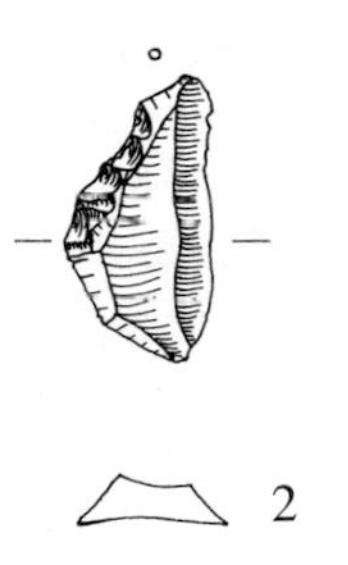
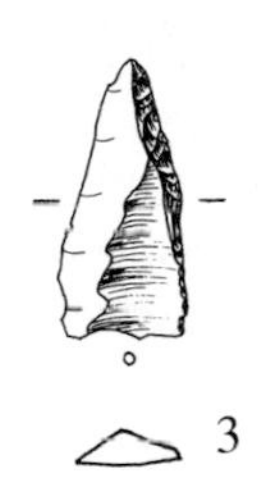
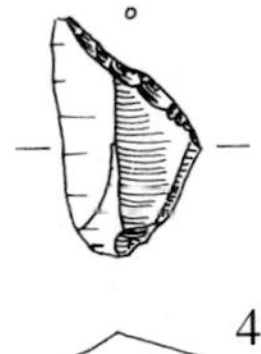
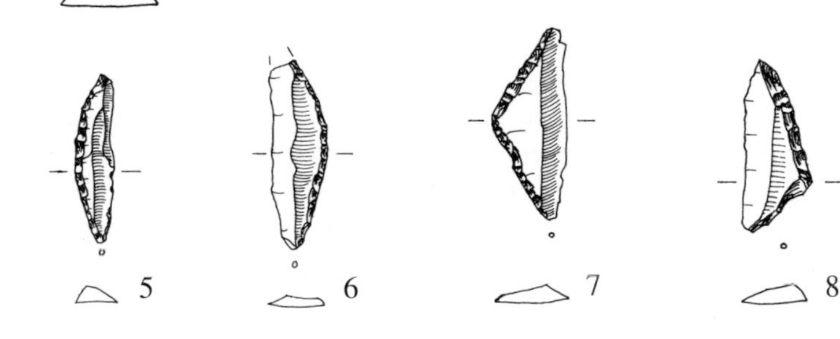
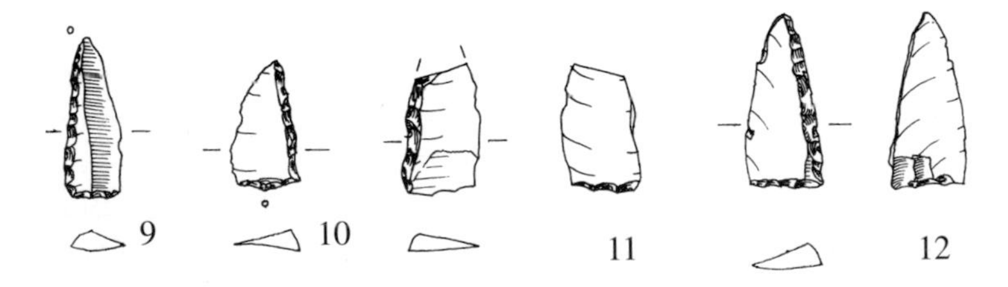
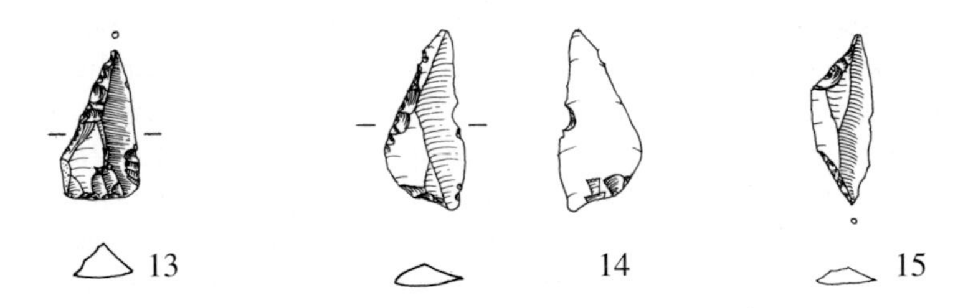

Abb. 8 Paläolithische und mesolithische Artefakte von verschiedenen Fundstellen. M. 1:1.

na und Flora boten sicherlich gute Lebensbedingungen für bewegliche Sammler- und Jägerpopulationen (dazu ausführlich in einer vergleichbaren Mittelgebirgsregion: Cziesla 1992).
Die Neuaufnahme der mesolithischen Funde (Kleinfeller, in Vorb.) scheint das vom Wittig bekannte chronologische Bild zu bestätigen. Die für diese Zeit charakteristischen Steinartefakte, die Mikrolithen, sind vor allem durch einfache Spitzen (35%; Abb. 8, 2–4), Segmente (12%; Abb. 8,5–6), Dreiecke (9%, gleich- und ungleichschenklig zu gleichen Anteilen; Abb. 8, 7–8) und Dreieckspitzen (9%, überwiegend gerade dorsale Basisretusche; Abb. 8,9–12) vertreten. Demgegenüber sind jüngere Formen deutlich seltener: rechtwinklige Viereckspitzen (3%; Abb. 8,13), asymmetrische Viereckspitzen (2%; Abb. 8,14) und Vierecke (2%; Abb. 8,15). Diese Angaben beruhen auf 408 Mikrolithen von 23 Fundpunkten. Die Artefakte wurden vorwiegend aus dem lokalen Kieselschiefer hergestellt. Daneben kommt nordischer Feuerstein vor, der aus eiszeitlichen Geschieben stammt, die etwa 70 km nördlich des Siegerlandes lagern. Die bisherigen Versuche, auf einer mesolithischen Fundstelle im Siegerland Siedlungsbefunde oder eine Stratigraphie nachzuweisen, blieben ohne Erfolg (Sönnecken 1962; Frank 1986).
Das Neolithikum ist auf 25 der 40 Fundstellen durch Einzelfunde von Steinbeilklingen belegt, ein Phänomen, das für Mittelgebirgslandschaften typisch ist. Der gelegentlich immer noch geäußerten Auffassung, alle diese Funde seien aus Aberglauben (z. B. Blitzschutz) in historischer Zeit verschleppte Bodenfunde, hat bereits H. Beck widersprochen (Beck 1955). Eine neue Untersuchung im Bergischen Land hat gezeigt, daß diese Verschleppung eine zu vernachlässigende Größe ist und Einzelfunde von Steinbeilklingen meist in der Nähe von Siedlungsstellen liegen (Frank 1992). Im Kreis Siegen-Wittgenstein kommen neben steinernen Beilklingen, Pfeilspitzen, Spitzklingen und als Rarität drei vermutlich neolithische Becherscherben (Abb. 9,6) vor. Geschliffene Großsteingeräte sind erwartungsgemäß das häufigste Fundgut. Unter 22 Felsbeilklingen überwiegen Formen von etwa 10 cm Länge mit trapezförmigem Umriß und rechteckigem Querschnitt, die dem späten

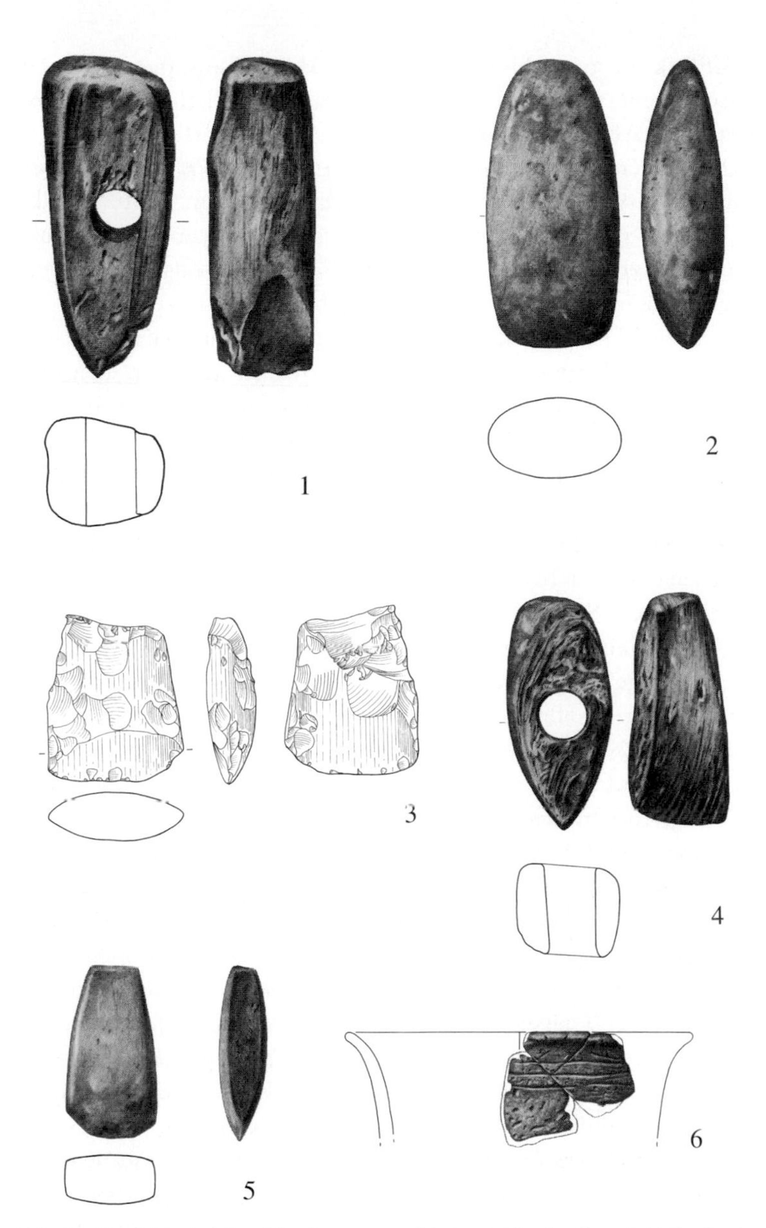

Abb. 9 Neolithische Einzelfunde von verschiedenen Fundstellen. 1–5 Großsteingeräte, 6 Keramik. M. 1:4.

Neolithikum angehören (10 Stücke; Abb. 9,5). Jungneolithische Felsovalbeile mit rundlichem bis spitzem Nacken sind achtmal vertreten (Abb. 9,2). Die übrigen vier Stücke sind nicht genau zu identifizieren. Sechs große Arbeitsäxte (»Setzkeil«), z. T. mit abgeschrägtem Nacken, gehören ins Mittelneolithikum (Abb. 9,1). Eine kleinere Axtklinge von 10,7 cm Länge mit plattem Nacken und verbreiterter Schneide erinnert an Einzelgrab-Zusammenhänge (Abb. 9,4), ein weiteres Stück ist verschollen.
Das einzige Flint-Ovalbeil aus westeuropäischem Feuerstein ist als Indiz eines Handels mit Beil-Halbfabrikaten aus dem belgisch-niederländischen Feuersteinrevier in jungneolithischer Zeit zu sehen (Abb. 9,3). Die flächenretuschierten Pfeilspitzen lassen sich in dreieckige mit konkaver (Abb. 10,2) oder konvexer Basis (4 Stükke), mandelförmige (3 Stücke; Abb. 10,1) und eine gestielte Form unterscheiden. Damit wird ein Rahmen vom Mittel- über das Jungneolithikum bis in den Übergang zur Bronzezeit gesteckt. Zwei größere Spitzklingen aus westeuropäischem Feuerstein können nur allgemein jungneolithisch genannt werden (Abb. 10,3).
Dieses karge Fundbild ist Ausdruck einer im Mittelneolithikum einsetzenden und bis in den neolithisch-bronzezeitlichen Übergang reichenden Nutzung des Kreisgebiets. Siedlungsbefunde wurden bisher nicht festgestellt. Neuere pollenanalytische Untersuchungen in Mooren des Rothaargebirges weisen in den untersten Schichten des Lützeler Moores erste Siedlungsanzeiger um 5000 v. Chr. und beginnenden Getreideanbau um 2000 v. Chr. aus (Pott 1989). Andere Untersuchungen zeigen, daß der Nachweis von Getreide nicht der einzige pollenanalytische Zeuge für eine neolithische Mittelgebirgsnutzung sein muß. Es kann für die Bandkeramik mit einer Transhumanz in Mittelgebirgen gerechnet werden, die diese Landschaft zur Rohstoffversorgung (Holz) und Viehfütterung (Eschenschneitelung) beanspruchte (Kalis u. Zimmermann 1988). Ein ähnliches Modell kann man auch für das mittlere und jüngere Neolithikum im Siegerland annehmen. Seit dem Spätneolithikum müssen wir hier, ausweislich der Pollenanalyse (Pott 1989), mit Getreideanbau und einer Veränderung der Wirtschaftsweise rechnen.

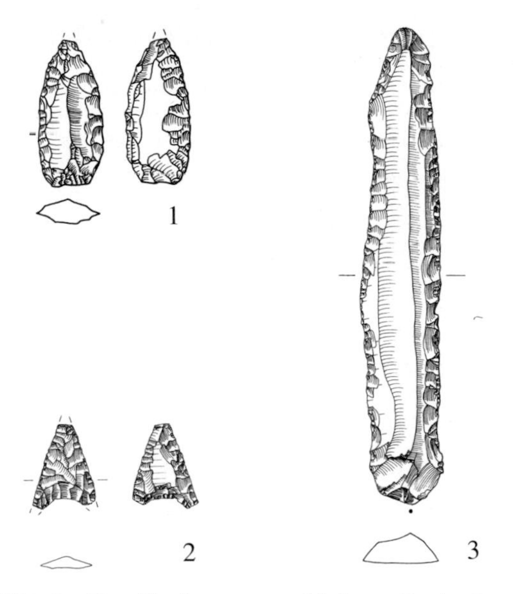

Abb. 10 Neolithische Einzelfunde von verschiedenen Fundstellen. 1–2 Pfeilspitzen, 3 Spitzklinge. M. 1:2.

Literatur:

S. K. Arora, Die mittlere Steinzeit im westlichen Deutschland und in den Nachbargebieten. Rheinische Ausgrabungen 17 = Beiträge zur Urgeschichte des Rheinlandes (1976) 1–65 – Ders., Mesolithische Rohstoffversorgung im westlichen Deutschland. Rheinische Ausgrabungen 19 = Beiträge zur Urgeschichte des Rheinlandes III (1979) 1–51 – H. Beck, Zur vor- und frühgeschichtlichen Besiedlung Südwestfalens. Westfalen 29, 1951, 9–26 – Ders., Die jungsteinzeitlichen Funde des Siegerlandes. Siegerland 32, 1955, 71–81 – E. Cziesla, Jäger und Sammler, Die mittlere Steinzeit im Landkreis Pirmasens (1992) – F. Firbas, Spät- und nacheiszeitliche Waldgeschichte Mitteleuropas nördlich der Alpen. 1: Allgemeine Waldgeschichte (1949) – Th. Frank, Der mesolithische Oberflächenfundplatz auf dem Wittig bei Netphen, Kreis Siegen-Wittgenstein. Ausgrabungen und Funde in Westfalen-Lippe 4, 1986, 1–32 – Ders., Neolithische Oberflächenfundstellen im Bergischen Land. Unveröff. Dissertation Köln (1992) – P. R. Hömberg, Zur vorgeschichtlichen Besiedlung Südwestfalens. Spieker 12, 1989, 65–78 – A. J. Kalis, A. Zimmermann, An integrative model for the use of different landscapes in Linearbandkeramik times. In: J. L. Bintliff, D. A. Davidson u. E. G. Grant (Hg.), Conceptual issues in environmental archaeology (1988) 145–152 – U. Kleinfeller, Das Mesolithikum im

Siegerland. In Vorbereitung – R. Pott, Pollenanalyse heimischer Moore, Beiträge zur Wald- und Siedlungsentwicklung des westfälischen Berg- und Hügellandes aufgrund neuer pollenanalytischer Untersuchungen. Siegerland 66, 1989, 37–48 – M. Sönnecken, Funde von Steingeräten mesolithischer Wildbeuter im Siegerland. Siegerland 39, 1962, 41–47.

Thomas Frank

Die Metallzeiten

Siedlungen

Bronze- und Frühe Eisenzeit (Behaghel 1943) haben im südlichen Westfalen nach unserem Kenntnisstand praktisch keine Spuren hinterlassen, sieht man vom Streufund eines Absatzbeiles aus Krombach einmal ab (Abb. 11). Erst gegen Ende der Älteren Eisenzeit (um 600 v. Chr.) setzte, so der archäologische Befund, eine rasche Besiedlung des Siegerlandes wie auch Wittgensteins ein (Abb. 12). Hier konnten aufgrund intensiver Geländebegehungen bis auf Höhen über 600 m NN zahlreiche Oberflächenfunde wie Scherben, Hüttenlehm, Schlacken und Mahlsteinfragmente entdeckt werden. Als besonders anschauliches Beispiel mag die Flur »Am Wellbach« in Raumland gelten (Abb. 13), wo auf einem sanft

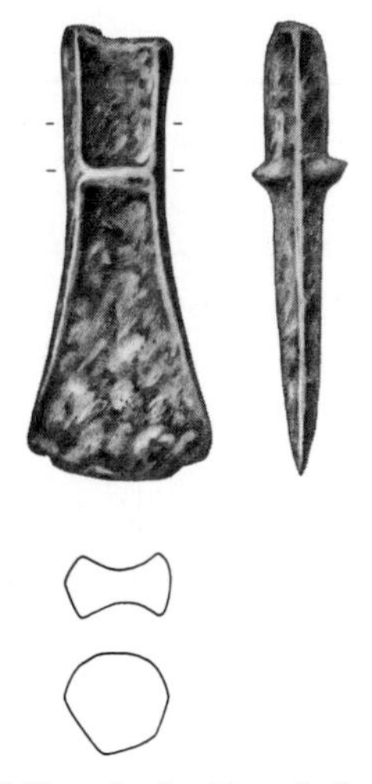

Abb. 11 Kreuztal-Krombach. Absatzbeil aus Bronze. M. 1:3.

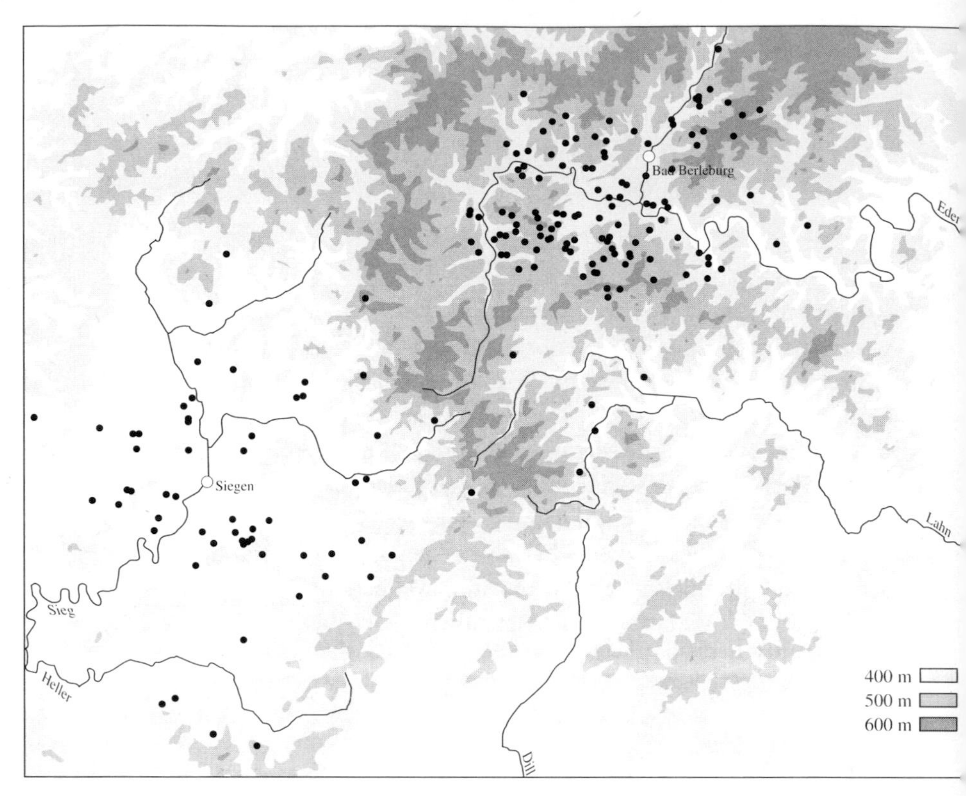

Abb. 12 Verbreitungskarte eisenzeitlicher Fundstellen. M. 1:450000.

zur Eder hin abfallenden Hang über 1300 Gefäßfragmente über eine Fläche von mehreren tausend Quadratmetern aufgelesen wurden. Dabei sind mehrere flächenmäßig voneinander getrennte Fundkonzentrationen zu belegen, die eine Datierung teils in die Ältere, teils in die Jüngere Eisenzeit zulassen (Abb. 14). Weitere große Fundstellen wie Dotzlar, Hemschlar, Rinthe und Wemlighausen datieren über mehrere archäologische Phasen der Vorrömischen Eisenzeit und belegen eine langdauernde Siedlungstätigkeit an gleicher Stelle (Ausgrabungen und Funde in Westfalen-Lippe 1983; 1984).

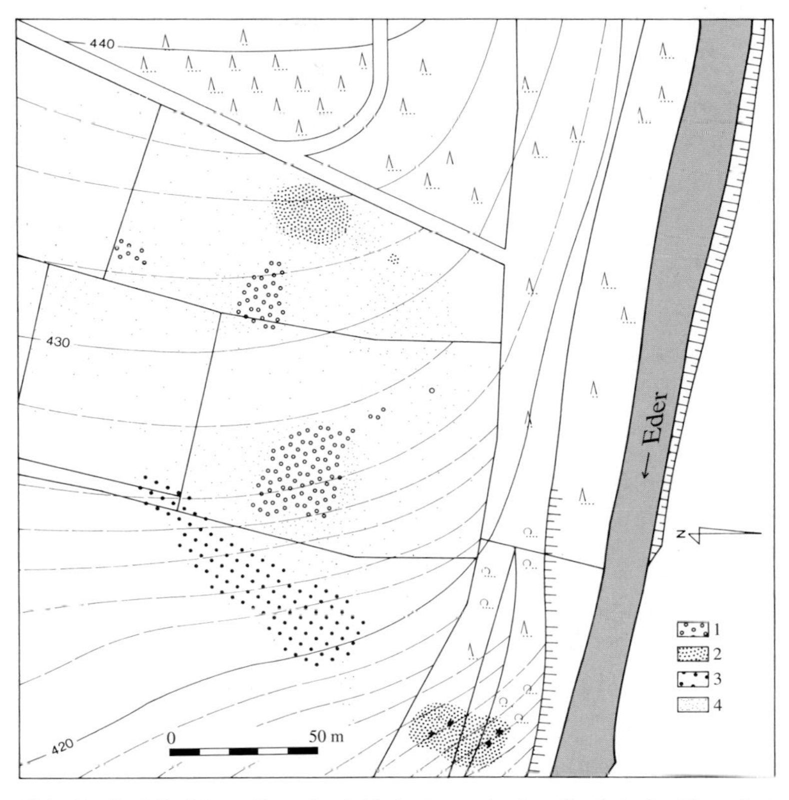

Abb. 13 Bad Berleburg-Raumland. Verbreitung der Lesefunde in der Flur »Am Wellbach«. 1 Funde der Älteren Eisenzeit, 2 Funde der Jüngeren Eisenzeit, 3 Funde des Hohen Mittelalters, 4 undatierbare Streufunde.

Die bisher durch kleinere Grabungen untersuchten Fundplätze von Wemlighausen (Ältere Eisenzeit), Raumland (Ältere und Mittlere Eisenzeit), Christianseck (Mittlere und Jüngere Eisenzeit) und Birkelbach (Jüngere Eisenzeit) erfassen zwar zeitlich die gesamte Dauer der Vorrömischen Eisenzeit, indes bleiben die Grabungsbefunde in vielen Fällen unscharf, da durch Bodenerosion entscheidende Partien der alten Siedlungshorizonte abgegangen sind. So konnten nur unvollständig ergänzbare Grundrisse von einschiffigen Häu-

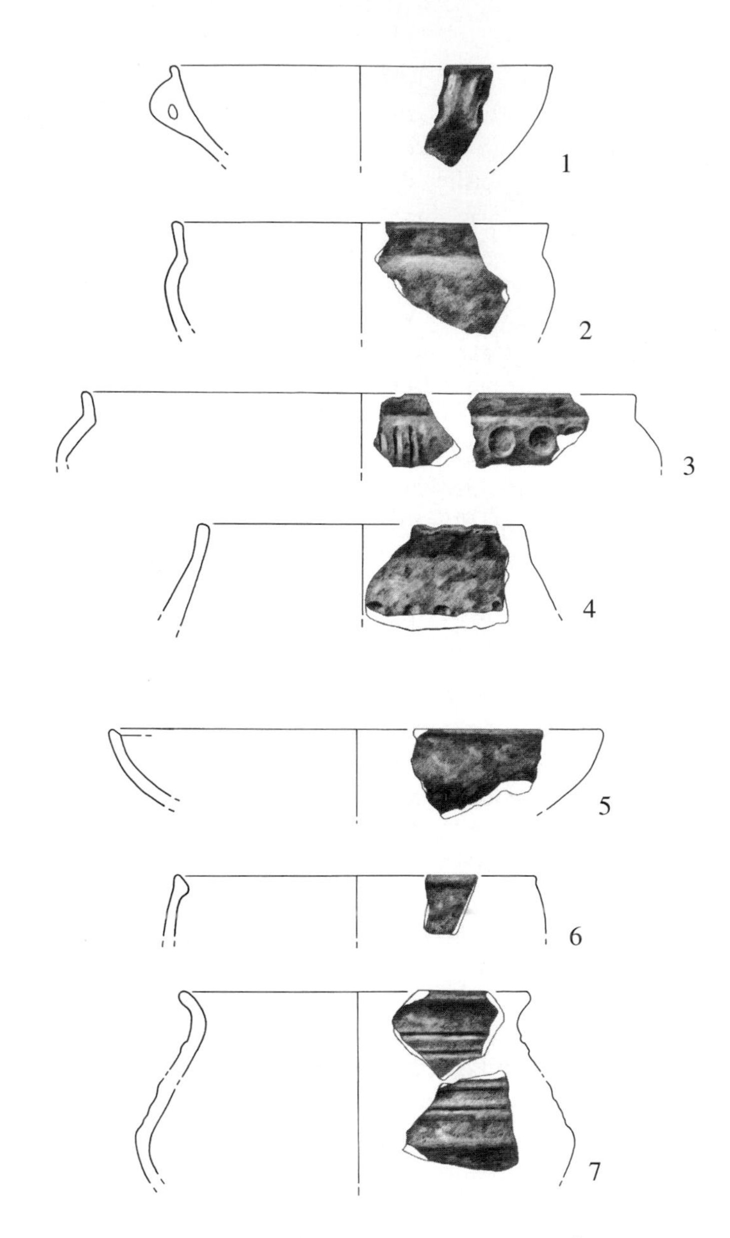

Abb. 14 Bad Berleburg-Raumland. Siedlungskeramik. 1–4 Ältere, 5–7 Jüngere Eisenzeit. M. 1:4.

sern (Wemlighausen, Christianseck), viereckigen Speichern (Raumland) sowie einzelne Gruben unbekannter Funktion (Christianseck) und Backöfen (Birkelbach) freigelegt werden.
Im Siegerland fehlen bisher die großflächigen, über lange Zeit bestehenden Siedlungsflächen, was auf den unterschiedlichen Forschungstand zurückzuführen sein wird, jedoch können in vielen Tälern, teilweise an steilen Hängen, deutlich ein bis sieben über- oder nebeneinanderliegende Verflachungen von 15–40 m Länge und 8–15 m Breite festgestellt werden. Hier hatten die damaligen Bewohner den anstehenden Boden bergseitig abgetragen und den Abraum hangabwärts umgelagert, so daß eine horizontale Fläche von 150–400 m^2 entstand, die ohne Probleme bebaut werden konnte (Abb. 15). Dabei achtete man besonders auf einen auch im Winter sonnenbeschienenen Platz, der im Windschatten der Bergkuppen lag und möglichst den nahen Bereich einer Quelle einschloß. Die Ausgrabungen dieser Podien in Freudenberg (Alchen; Frank 1988), Siegen (Hermelsbach, Leimbach, Minnerbach, Oberschelden, Trupbach; Beck 1938; Behaghel 1939), Wilnsdorf (Höllenrain, vgl. auch S. 159) und Neunkirchen (Zeppenfeld; Laumann 1986) erbrachten stets einen recht einheitlichen Befund: Im Zentrum des Podiums fiel eine meist mehrere Quadratmeter große rotverziegelte Fläche auf, die wannenförmig rund 30 cm tief in den anstehenden Boden reichte. Bis auf regellos gelegte Steine war keine Konstruktion festzustellen, jedoch deuteten Schlacken,

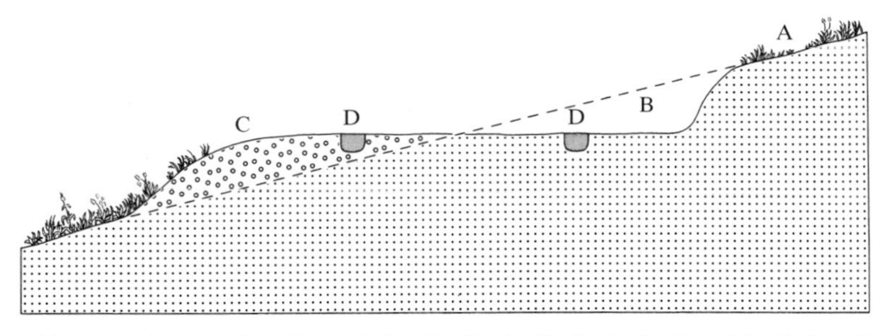

Abb. 15 Schematischer Querschnitt durch ein Podium. A Alte Oberfläche, B abgegrabener Boden, C aufgeschütteter Boden, D Pfostengruben.

Holzkohle, Hammerschlag, Amboßsteine sowie Eisenbruch auf umfangreiche Schmiedetätigkeit hin. Auf den Podien ließen sich Verfärbungen aufgrund des geschütteten Bodens meist recht schwer erkennen. Nur in der Minnerbach, in Oberschelden, auf dem Höllenrain, in Alchen und in Zeppenfeld zeichneten sich Reste von Pfostengruben ab, die zu ein- oder zweischiffigen Hausgrundrissen von maximal 8 x 7 m rekonstruiert werden konnten. Über die gesamte Podiumsfläche verteilt fanden sich zahlreiche Scherben großer Schalen und Tonnen, die, dem Arbeitsplatz entsprechend, meist sehr grobtonig, ungeglättet und sparsam verziert waren. In manchen Fällen haben sich auch die Werkzeuge der Schmiede sowie Teile der Produktpalette ihrer hergestellten Waren erhalten (Abb. 16). Vom Schmiedepodium von Oberschelden können mehrere Halbfertigprodukte von Messern benannt werden, die, wie auch alle weiteren Eisenfunde belegen, Formen entsprechen, die im keltischen Kerngebiet in Mode waren. Bis auf die beiden Podien von Zeppenfeld, die eine deutliche Trennung zwischen Schmiede- und Wohnbereich aufzeigten (vgl. S. 153), ist bisher keine Siedlung komplett ergraben worden. Von einem Hüttenplatz im Hütschelbachtal stammen einige Scherben, die ebenso wie die einer Grube aus Deuz (Beck 1959) an den Beginn der Jüngeren Eisenzeit (Hallstatt D/Latène A) zu stellen sind. Die Mehrzahl der bisher gegrabenen Podien datieren jedoch aufgrund von Fibelfunden (Hermelsbach, Oberschelden, Zeppenfeld) in den jüngsten Abschnitt der Vorrömischen Eisenzeit (Latène C/D). Im Gegensatz zu den lange bewohnten Siedlungen Wittgensteins bestanden die Schmiede- und Wohnpodien nur über wenige Generationen. Hier könnten wirtschaftliche Notwendigkeiten wie Erschöpfung der Energie- und Rohstoffressourcen (Holzkohle, Erze) eine Rolle gespielt haben.

Abb. 16 Werkzeuge von verschiedenen Schmiedeplätzen. 1 Siegen-Niederschelden, 2–6 Siegen-Trupbach, 7 Neunkirchen-Zeppenfeld. M. 1:4.

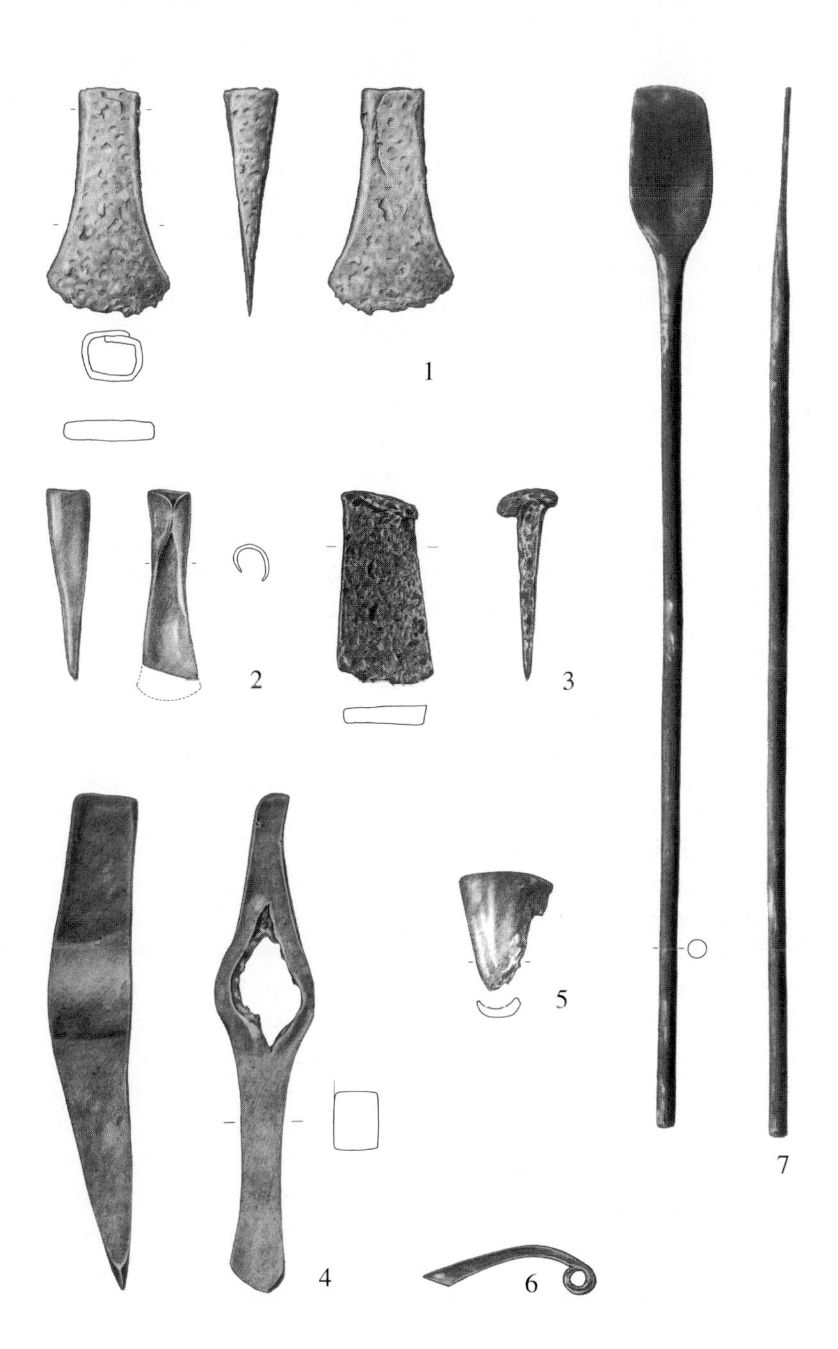
1
2
3
4
5
6
7

Sicher waren die kargen Böden, die hohen Niederschläge und die kurzen Vegetationsphasen des südlichen Westfalen kein einladendes Pionierland, jedoch werden durchstreifende Prospektoren schnell den wahren Wert vor allem des Siegerlandes entdeckt haben: In breiten Adern reicht der leicht verhüttbare Brauneisenstein (z. B. Limonit, FeOOH) bis an die Oberfläche der Höhen und ermöglichte einen bequemen und ertragreichen Tagebau. Fast unbegrenzte Waldvorräte und damit ausreichend Energie, genügend Wasser und lehmiger Ton zum Bau der Verhüttungsöfen fanden sich in jedem Tälchen, so daß die besten Voraussetzungen für ein lohnendes Eisengewerbe vorlagen.
Seit den dreißiger Jahren häuften sich die Entdeckungen von Eisenverhüttungsplätzen. Sie sind mit den Namen O. Krasa und P. Theis eng verbunden und führten zu ersten Grabungen (Engsbach, Minnerbach und Trupbach). Die Eisenschmelzöfen lagen meist in der Nähe der Wohn- und Schmiedepodien in den kleinen, tief eingeschnittenen Seitentälchen (Seifen) in unmittelbarer Wassernähe. Um eine gute Isolierung zu erhalten und ein Auseinanderbrechen zu verhindern, baute man die Schmelzen möglichst weit in die Böschung ein, so daß nur die Ofenbrust sichtbar blieb. Zum Bau des Ofenmantels, dessen Stärke gut 70 cm erreichen konnte, benutzte man den hier anstehenden Hanglehm. Auf den bienenkorbförmigen Ofenkörper wurde noch eine zylindrische Esse gesetzt, um den Ofenzug zu erhöhen, wie die Untersuchungen H. Behaghels in der Minnerbach ergaben. Pfostenstellungen um den Ofen könnten noch für eine Arbeitsplattform sprechen, die ein besseres Beschicken der Schmelze mit Erz und Holzkohle ermöglichte. In der Engsbach sowie an der Silberquelle kamen noch mehrere weitgehend intakte Schmelzen zutage: Der durch die Hitze rot verziegelte runde Ofenmantel umschloß einen Brennraum von 60 – 80 cm Durchmesser nahe der Sohle und besaß bei einer erhaltenen Höhe von knapp einem Meter ein Volumen von gut 1,5 m^3. Die Luftzufuhr erfolgte durch einen vorgelagerten, oft durch plattige Steine markierten Windkanal, der den zur Reduk-

tion des Eisens nötigen Sauerstoff durch ein 6 cm rundes Düsenloch leitete. Allein durch den Kamineffekt des Ofens und soweit ersichtlich ohne zusätzliche Blasebälge konnte die Schmelze des Erzes erfolgreich verlaufen.
Auf den Schmelzplätzen kommt ein weiterer freistehender Ofentyp vor, von dem jedoch selten mehr als die rotgebrannte Herdsohle erhalten ist und dessen Brennraum kaum einmal mehr als 30 cm Durchmesser erreichte. Aufgrund der sehr schmalen Düsenlöcher von knapp 2 cm Durchmesser sowie eiserner Blasebalgschnauzen (Trupbach) muß man die Schmelze mit einem künstlichen Gebläse bewettert haben, da die schmalen Öffnungen für einen natürlichen Zug nicht ausreichten. Ob beide Ofentypen gleichzeitig nebeneinander in Gebrauch waren und nur für unterschiedliche Arbeitsgänge bei der Herstellung des Eisens benötigt wurden oder ob, wie die ältere Forschung annimmt, eine chronologische Abfolge zwischen beiden Formen besteht, ist bis heute unsicher, da die vor dem Krieg intensive Forschung auf den Hüttenplätzen nicht fortgeführt wurde.
Wie die zahlreichen Schlackenhalden, die häufig bis in die Bachläufe hereinreichen, belegen, konnten mit einem Ofen mehrere Schmelzen gefahren werden, wobei nur die Ofenbrust jeweils erneuert wurde. Neben vielen kleinen Anlagen mit einem oder wenigen Öfen, die selten mehr als 200–300 m^2 Fläche benötigen (Arbachtal, Felsenbach), gibt es Talseiten, in denen ganze Batterien von Ofenanlagen standen (bis 40 Stück), deren Betrieb eine Vielzahl von Menschen erforderte (Engsbach, Leimbach, Minnerbach, Wenscht). Vor allem die zur Reduktion der Erze in riesigen Mengen benötigte Holzkohle setzte der Produktion des Eisens jedoch eine natürliche Grenze. Holzkohlefunde von 5–20jährigen Hölzern von Buche, Birke und Eiche in einem Verhüttungsofen könnten jedoch dafür sprechen, daß bereits in vorhistorischer Zeit eine Art Niederholzwirtschaft zur Streckung der benötigten Energiemengen betrieben wurde (vgl. S. 28).

Aus dem südwestfälischen Bergland und Ostwestfalen kennt man eine größere Anzahl eisenzeitlicher Ringwallanlagen, wobei mit sieben Burgen im Kreis Siegen-Wittgenstein die größte Dichte erreicht wird. Die Anlagen befinden sich in exponierten Gipfellagen in Höhen zwischen 551 m (Dotzlar, vgl. S. 109) und 666 m (Wemlighausen, vgl. S. 111) und weisen sehr unterschiedliche Größen auf: Die kleine Anlage von Aue (vgl. S. 107) umschließt eine Fläche von knapp 2 ha, während die aus einem doppelten Befestigungsring bestehende Burg von Obernau (vgl. S. 144) mit 9,5 ha mehr als viermal so groß ist. Nur an den stärker gefährdeten flachen Geländestreifen sowie im Bereich der Tore führte man starke Stein-Erde-Wälle auf, deren Front durch eine durchlaufende Palisade gestützt und durch Querhölzer im Wall verankert wurde. An steilen, weniger gefährdeten Abschnitten verzichteten die Erbauer auf einen Wall und terrassierten durch Rückwärtseinschneiden den Hang, so daß auf der so geschaffenen Verflachung eine Palisadenreihe errichtet werden konnte (Alte Burg bei Bad Laasphe, vgl. S. 113; Alte Burg bei Obernau, vgl. S. 144). Bei den kaum erforschten Toren erkannte man in Aue und Obernau versetzte, in den letzten Metern parallel laufende Wallenden, in denen, nach den Grabungen der dreißiger Jahre, ein hölzernes Torhaus bestehend aus 6 bzw. 12 Pfosten stand. Starke Brandspuren deuten auf kriegerische Belagerung sowie ein gewaltsames Ende hin. Größere Untersuchungen im Innenraum der Wallanlagen fanden bisher nur in Aue statt, wo direkt im Anschluß an den inneren Wallfuß steinerne Fundamente von zwei Bauten erkannt wurden, die ein Bodenpflaster von etwa 6 x 6 m einschlossen und gleichfalls starke Brandspuren aufwiesen. In den Burgen von Laasphe und Obernau deuteten mehrere Podien auf eine intensive Besiedlung des Innenraumes hin. Über die genaue zeitliche Stellung lassen sich nur sehr spärliche Aussagen treffen: Aus den Burgen von Burbach (vgl. S. 117), Hesselbach (vgl. S. 116), Dotzlar und Wemlighausen ist bisher kein datierbarer Fund bekannt. Von der Burg von Obernau liegen wenige Scherben vor, die unter Vorbehalt in das letzte Jahrhundert v.

Chr weisen. Nur die aus den Hausbereichen geborgene Keramik von Aue erlaubt eine Datierung in den ersten Abschnitt der Jüngeren Eisenzeit (Latène A/B).

Gräber

Die Frage nach der Herkunft der eisenzeitlichen Bewohner des südlichen Westfalen ist nicht ganz leicht zu beantworten, jedoch konnten innerhalb der letzten zehn Jahre je ein früher Bestattungsplatz in Wittgenstein (Birkefehl; Heidinger 1988) und im Siegerland (Deuz; Laumann 1987) erforscht werden, die beide einen recht ähnlichen Befund ergeben: In der Regel sind die Toten verbrannt worden und die kalzinierten Knochen in einer Tonurne, deren Öffnung durch eine umgestülpte Deckschale verschlossen wurde, in regelloser Abfolge, jedoch oft zu kleinen Gruppen zusammengefaßt, in Flachgräbern beigesetzt. In gleichgroßer Anzahl und oft direkt nebeneinander liegen ohne weiteren Schutz in den Boden eingetiefte, einfache Leichenbrandnester (Knochenlager). In beiden Bestattungsarten finden sich ähnliche Beigabenkombinationen, so daß eine soziale Differenzierung nicht möglich ist. Eine Ausnahme bildet ein am Rand des Gräberfeldes von Deuz unter mehreren Steinlagen entdecktes Körperflachgrab, dessen Beigabenkombination (Ohrringe mit Perlen, eiserner Halsring, Beigefäß) Parallelen mit Schwerpunkt im Raum des Neuwieder Beckens wie des Mittelrheins hat. In die gleiche Herkunftsrichtung weisen die bauchigen breiten Urnen mit kurzem, ausbiegenden Randbereich, die häufig mit gegenständigen Strichgruppen (Sparrenmuster) in der Schulterzone verziert sind. In knapp der Hälfte aller Gräber fanden sich Reste von Metallbeigaben, die alle, durch das Scheiterhaufenfeuer bedingt, Brandspuren aufweisen. Die Hals-, Arm- und Ohrringe, Schmucknadeln, Kettchen und Fibeln gehören zur persönlichen Kleiderausstattung des Toten, so daß davon ausgegangen werden kann, daß die Menschen in voller Tracht eingeäschert wurden (Abb. 17).

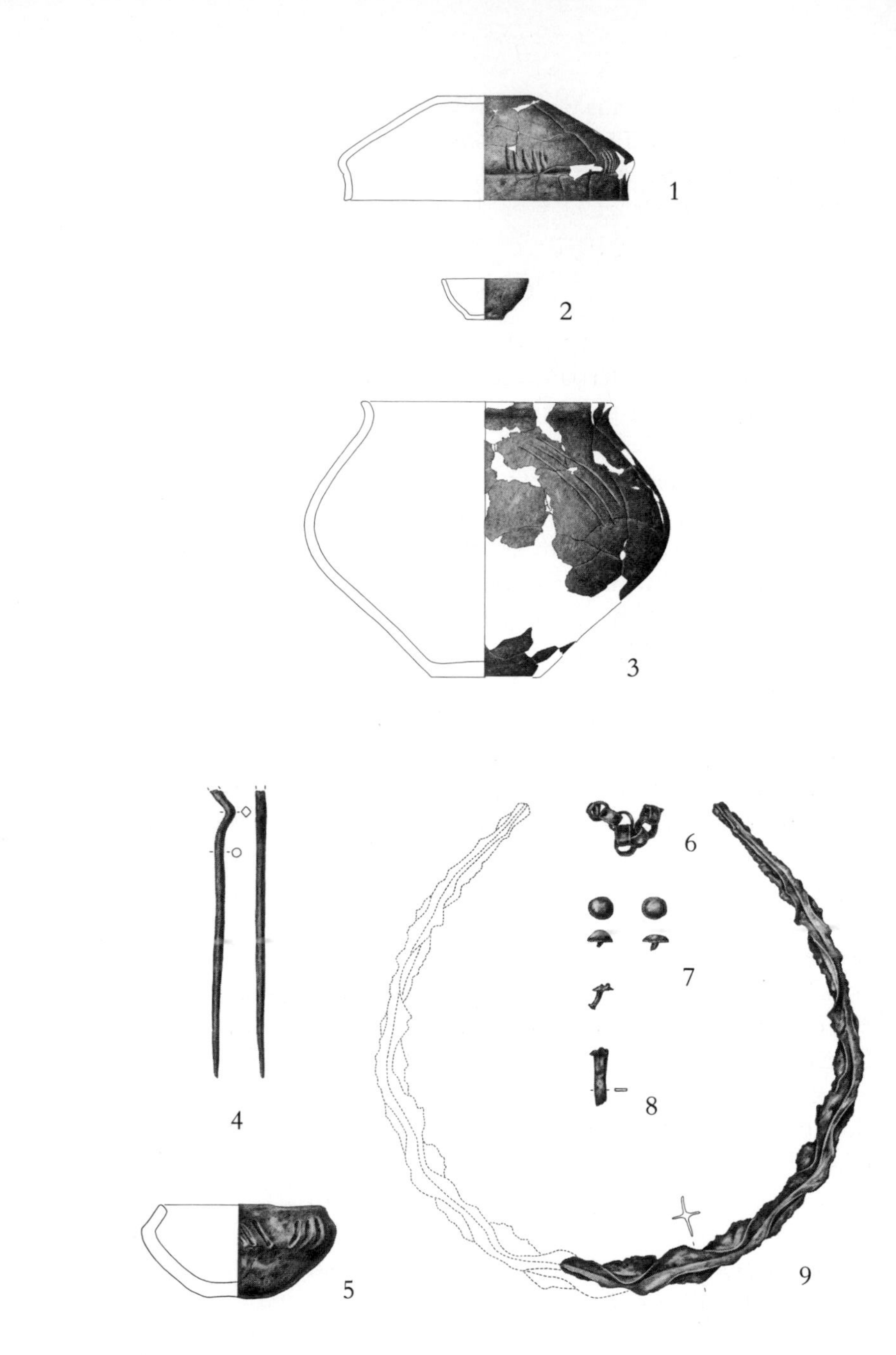
1
2
3
4
5
6
7
8
9

Aus der Jüngeren Eisenzeit (450 v. Chr. – Chr. Geb.) sind im hier umschriebenen Raum nur wenige Gräber, zumeist als Einzelfunde, bekanntgeworden. Aus Wittgenstein (Raumland) liegt eine Brandbestattung mit einer Fibel vom Mittellatèneschema und einem paukenförmig ausgebildeten Bügel als Beigabe vor. Der Leichenbrand lag in einer sorgfältig auf der Drehscheibe hergestellten Schüssel mit Omphalosboden. Ein in den gleichen zeitlichen Horizont (um 300 v. Chr.) datiertes Grab von Deuz zeigt ein ähnliches Gefäß mit einem auf der Bodeninnenseite angebrachten Ziermuster, welches den sog. »Braubacher Schalen« nachempfunden ist. Die beiden eisernen Fibeln sind auf dem Bügel mit einer bunten Glaspaste verziert und haben ihre Vorbilder ebenso wie der große bronzene Gürtelhaken in der keltischen Kultur (Titelbild und Abb. 18). In einen jüngeren Zeithorizont wird man bereits zwei Altfunde stellen können. In Obersdorf (Behaghel 1938) fand sich in einer Urne als Beigabe ein bronzener Tierkopfgürtelhaken, der durch eine Spätlatènefibel datiert wird, und aus Siegen-Heidenberg ist eine Bestattung bekannt, die u. a. durch das Fragment einer Nauheimer Fibel zeitlich bestimmbar ist. Beide Funde stellte bereits H. Behaghel in die vom ihm definierte Nordostgruppe der Schüsselgräber, die in die letzten 150 Jahre vor der Zeitenwende datieren (Behaghel 1943). Die jüngsten Gräber der Vorrömischen Eisenzeit wurden im Volkersbachtal bei Zeppenfeld am Rande eines neu geschobenen Weges entdeckt (Laumann 1984). Eine flächige Nachgrabung der Fundstelle führte zur Freilegung einer rechteckigen, verstürzten Steinsetzung mit erhaltener Kantenlänge von 12 m (vgl. S. 153). Innerhalb der Einfriedung konnten noch zwei Urnenbestattungen (Schüsselgräber) freigelegt werden, deren Beigaben nur mit ähnlichen Funden aus Oberhessen und der Wetterau vergleichbar sind und den jüngsten Horizont der keltischen Kulturentwicklung zeigen (Abb. 19). Mit der Zeitenwende brechen alle archäologischen Zeugnisse ab.

Abb. 17 Erndtebrück-Birkefehl. Grabfunde der Älteren Eisenzeit. 1–3 Urnenbestattung, 4–9 Knochenlager. 1–3 M. 1:6, 4–9 M. 1:3.

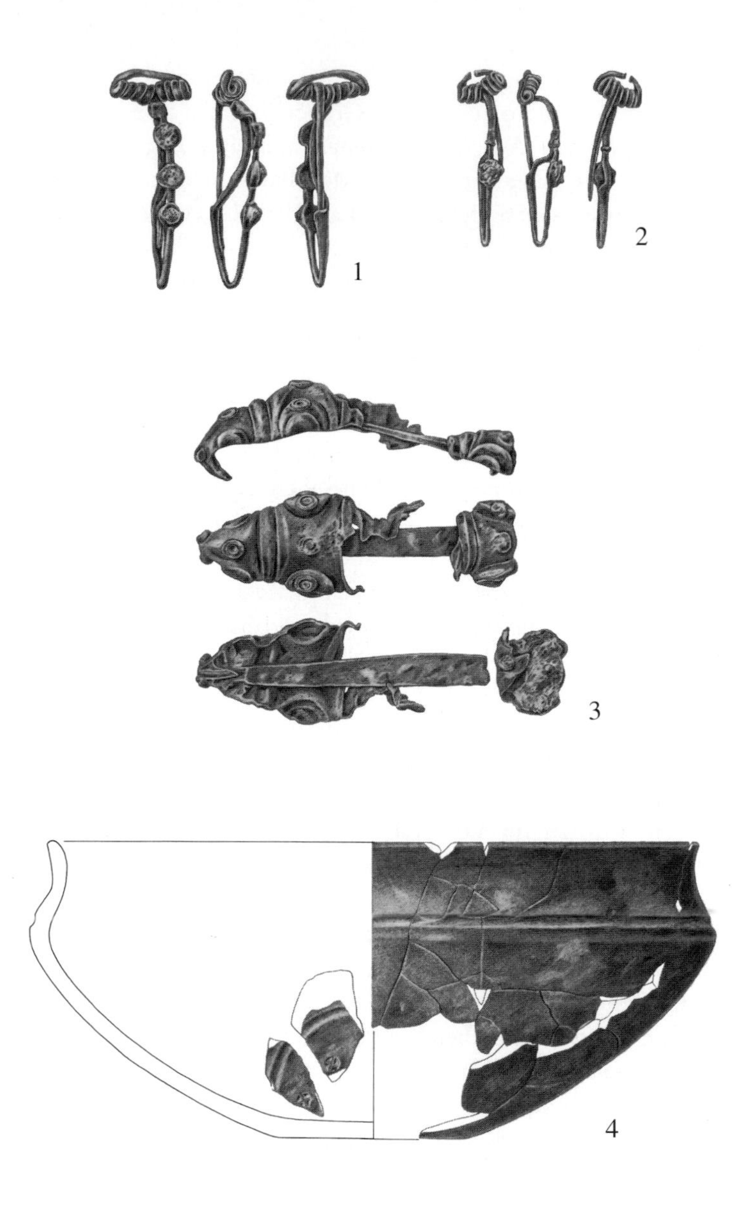

Abb. 18 Netphen-Deuz. Grabfund der Jüngeren Eisenzeit (um 300 v. Chr.). 1.2 Eisen, 3 Bronze, 4 Keramik. M. 1:3.

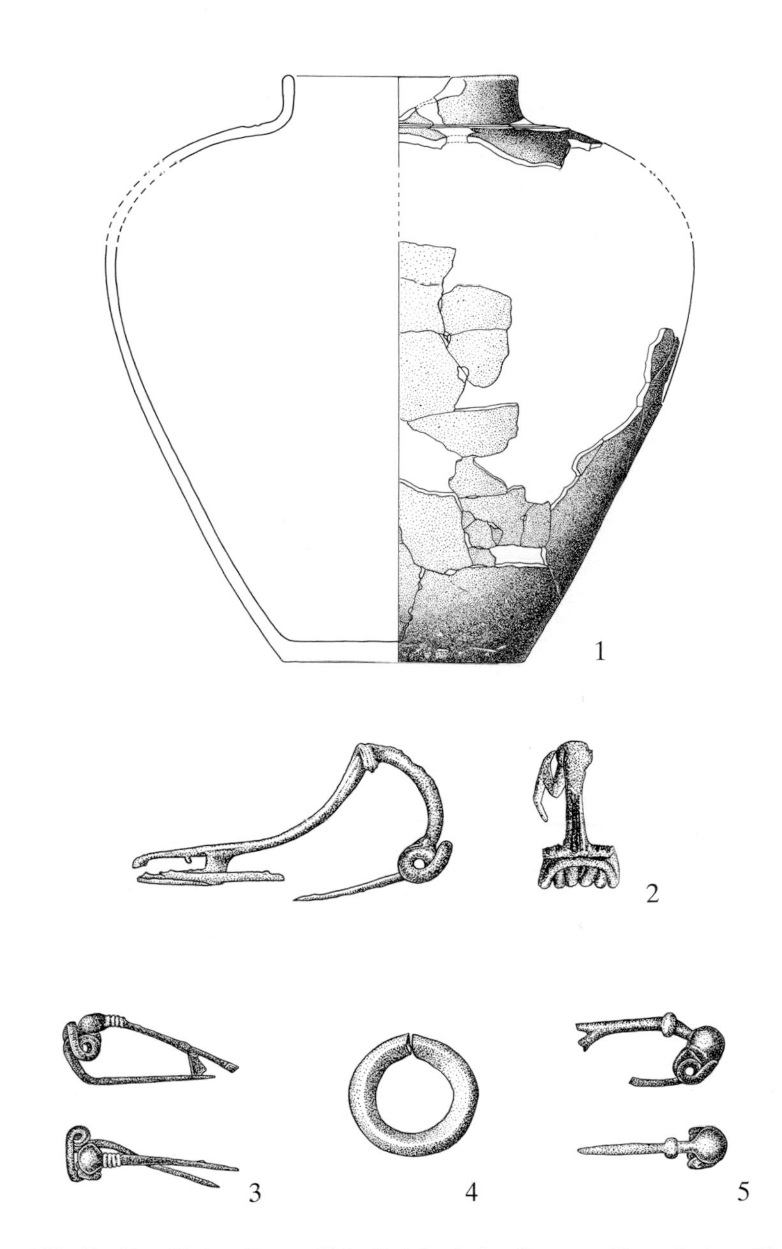

Abb. 19 Neunkirchen-Zeppenfeld. Grabfund der Jüngeren Eisenzeit (um 50 v. Chr.). 1 Drehscheibenkeramik, 2 Bronze, 3–5 Eisen. 1 M. 1:4, sonst M. 1:2.

Literatur:
Ausgrabungen und Funde aus Westfalen-Lippe 1, 1983, 165–196; 2, 1984, 190–203 (Fundchronik Wittgenstein) – H. Beck, Siedlungs- und Verhüttungsplätze der Spätlatènezeit bei Trupbach, Kreis Siegen. Siegerland 20, 1938, 26–32 – Ders., Frühlatènezeitliche Siedlungsgrube in Deuz, Kr. Siegen. Germania 37, 1959, 281–282 – Ders., Spätlatènezeitliche Schmiedeplätze in Klafeld, Kr. Siegen. Germania 37, 1959, 284–285 – H. Behaghel, Ein Grabfund der Spätlatènezeit von Obersdorf, Kr. Siegen. In: Marburger Studien. Festschrift G. v. Merhart (1938) 1–8 – Ders., Eine latènezeitliche Eisenverhüttungsanlage in der Minnerbach bei Siegen. Germania 23, 1939, 228–237 – Ders., Die Eisenzeit im Raume des Rechtsrheinischen Schiefergebirges (1943) – H. Böttger, Ausgrabungen an den Wallburgen bei Afholderbach, Aue, Laasphe und Niedernetphen. Siegerland 14, 1932, 42–45 – T. Frank, Ein latènezeitliches Podium bei Freudenberg-Alchen, Kreis Siegen-Wittgenstein. Ausgrabungen und Funde in Westfalen-Lippe 5, 1988, 195–203 – J. W. Gilles, 25 Jahre Siegerländer Vorgeschichtsforschung durch Grabungen auf alten Eisenhüttenplätzen. Archiv für Eisenhüttenwesen 28, 1957, 179–185 – A. H. Heidinger, Das eisenzeitliche Gräberfeld von Birkefehl, Gemeinde Erndtebrück, Kr. Siegen-Wittgenstein. Mit Beiträgen von B. Herrmann und H. Laumann. Ausgrabungen und Funde in Westfalen-Lippe 5, 1987 (1988) 121–177 – G. Kossack, R. Hachmann, H. Kuhn, Völker zwischen Kelten und Germanen (1962) – O. Krasa, Latène-Schmieden im Siegerland. Westfälische Forschungen 17, 1964, 200–205 – H. Laumann, Zwei spätestlatènezeitliche Urnengräber aus Neunkirchen/Zeppenfeld, Kr. Siegen. Studien zu Siedlungsfragen der Latènezeit. Veröffentlichungen des Vorgeschichtlichen Seminars Marburg 3 (1984) 107–116 – Ders., Ein spätestlatènezeitlicher Schmiedeplatz von Neunkirchen-Zeppenfeld, Kr. Siegen-Wittgenstein. Ausgrabungen und Funde in Westfalen-Lippe 3, 1986, 49–57 – Ders., Archäologische Ausgrabungen im Siegerland 1987. Arbeitsbericht über Grabungen im Quellgebiet der Sülz und in Deuz. Siegerland 64, Heft 3–4, 1987, 51–53 – A. Stieren, Stichworte zu Burg bei Burbach, Kindelsberg, Burggraben, Burg bei Aue, Steinchen, Wemlighausen. Bodenaltertümer Westfalens 1, 1929, 55–59 – Ders., Vorgeschichtliche Eisenverhüttung in Süd-Westfalen. Germania 19, 1935, 12–20 – K. Wilhelmi, Die vorrömische Eisenzeit zwischen Sieg und Mittelweser. Kleine Schriften aus dem Vorgeschichtlichen Seminar Marburg (1981).

Hartmut Laumann

Die Frühgeschichte

Im Gegensatz zu Nordwestfalen ist das Siegerland wie auch andere Teile des Berglandes in den ersten vier nachchristlichen Jahrhunderten, d. h. während der Römischen Kaiserzeit, nach unserem heutigen Kenntnisstand nahezu fundleer. Auch die von R. Pott durchgeführten pollenanalytischen Untersuchungen lassen einen deutlichen Besiedlungsrückgang, allerdings keinen Abbruch erkennen: »Minimale Siedlungsbelegungen mit geringfügigem Getreideanbau sind aber durchlaufend festzustellen, so daß ein völliger Rückgang der landwirtschaftlichen Nutzflächen in den Bergregionen Westfalens ausgeschlossen werden kann« (Pott 1989). Der Siedlungsschwund fällt um so mehr auf, als dieses Gebiet in der Jüngeren Eisenzeit Mittelpunkt einer blühenden Eisenindustrie war.

Die Hinterlassenschaft der Römischen Kaiserzeit beschränkt sich auf einige spärliche Funde. Aus Hemschlar stammt eine Randscherbe südgallischer Terra Sigillata zusammen mit Keramik der Jüngeren Eisenzeit. Römische Münzen kamen an vier Stellen zutage (Korzus 1972). Ein As des Nero (63/68 n. Chr.) fand sich am Nordhang der Wallanlage von Burbach (vgl. S. 117) und ein Aureus des Septimius Severus für Plautilla (202/205 n. Chr.) »in einem Walde bei Siegen«. Drei Münzen – ein As des Vespasian (71 n. Chr.), ein Antoninian des Gallienus (263/264 n. Chr.) und ein Follis des Diocletian (293/305 n. Chr.) wurden bereits 1925 – unter sehr fraglichen Fundumständen – von spielenden Kindern im Bereich der Wüstung Heimbach in einem Gefäß entdeckt. Nur wenige Meter von dieser Stelle entfernt fand man 1966 bei Wegebauarbeiten einen Follis des Licinius (313/317 n. Chr.).

Erste sichere Siedlungshinweise in den Bergregionen fassen wir – wenn man von den pollenanalytischen Ergebnissen (Pott 1989) einmal absieht – erst wieder im frühen Mittelalter. Folgt man den

schriftlichen Quellen, müßte dieser Raum bereits seit der Völkerwanderungszeit zum Einflußbereich der erstarkenden fränkischen Macht im Süden gehören, doch findet diese Vermutung im archäologischen Fundgut bisher keine Stütze. Auch der langsame Vorstoß der Sachsen nach Süden, die um 700 die Lippe überschritten, hat den engeren Siegen-Wittgensteiner Raum nicht berührt. Möglicherweise bildete der über 700 m hohe Rothaarkamm eine natürliche Grenze (Winkelmann 1983).
Die sächsische Südausbreitung führte seit der ersten Hälfte des 8. Jahrhunderts zu kriegerischen Auseinandersetzungen mit den Franken und gipfelte in den 772 beginnenden Eroberungszügen Karls des Großen. In diesen jahrzehntelangen Kriegen spielten die westfälischen Wallburgen eine bedeutende Rolle, ursprünglich als sächsische Befestigungen, die von den Franken erobert wurden, später als fränkische Um- und Neubauten, dazu angelegt, das eroberte Sachsen zu kontrollieren und zu befrieden (Hömberg 1967). Diese ähneln sich in Lage, Größe und spezifischen Bauformen. Dazu gehören in Siegen-Wittgenstein der jüngere Ringwall auf der Alten Burg bei Bad Laasphe (vgl. S. 113) und der Burggraben bei Netphen (vgl. S. 148), durch frühgeschichtliche Keramik bzw. durch ein 14C-Datum von 780 ± 120 n. Chr. datiert. Ob eine solche Anlage auch in Siegen im Bereich der Martini-Kirche bestand, muß mangels archäologischer Anhaltspunkte offenbleiben (Görich 1939). Die ansteigende Siedlungsdichte, die auch durch Pollenanalysen eine Bestätigung findet, wird durch 46 Oberflächenfundplätze im Altkreis Wittgenstein bestätigt. Bei der Keramik handelt es sich um dünnwandige, hartgebrannte Drehscheibenware aus gelbem, fein sandig gemagertem Ton, um umgelegte Wulstränder, teilweise mit Rollstempel- oder Gitterverzierung auf dem Rand oder der Wandung (Abb. 20), und um dickwandige Flachböden mit breiten Drehrillen am inneren Bodenansatz. Sie erinnert stark an hessisches Material, wie es aus der Phase II des Christenberges (Kesterburg) bekanntgeworden ist (Gensen 1989). Die Fundstellen, die eventuell noch dem ausgehenden 8., im wesentlichen aber erst wohl dem 9. Jahrhundert angehören, müssen mit der Wiederbesiedlung des höheren Berglandes zusammengese-

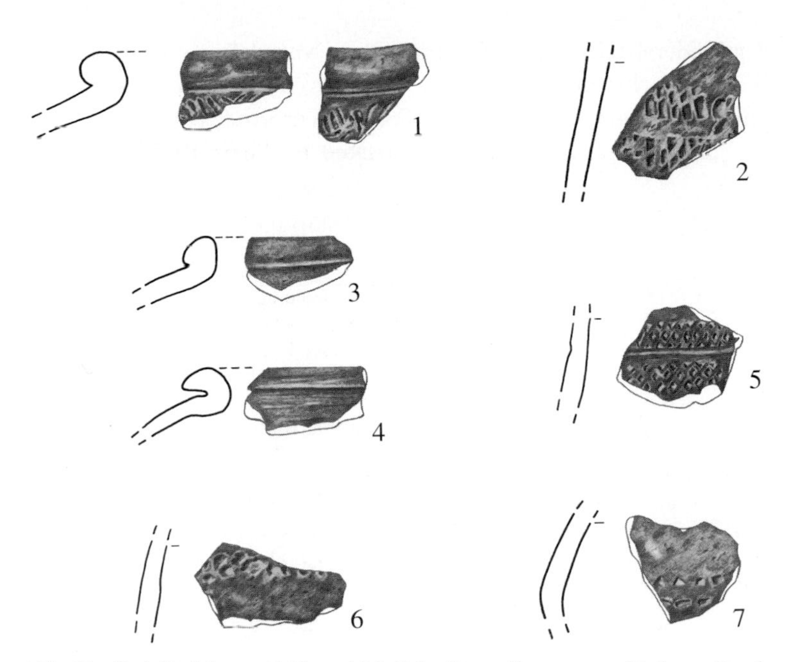

Abb. 20 Bad Berleburg. Frühgeschichtliche Keramik von verschiedenen Fundstellen. M. 1:2.

hen werden, die vom hessischen Raum aus Eder und Lahn aufwärts erfolgte.
Schwerer beurteilen läßt sich die Situation im Altkreis Siegen. Bis heute kennt man von hier nur 13 Fundplätze. Sie erbrachten vereinzelt Badorfer Keramik mit und ohne Rollstempelverzierung, Nachahmungen dieser Ware bisher unbekannter Herkunft und einheimische Gattungen, z. B. die nach der Fundstelle Fludersbach (Stadt Siegen) benannte Ware, die einstweilen noch ohne Parallelen ist. Auch wenn die wenigen Fundstellen zur Vorsicht mahnen, könnte die bisherige Verbreitung dieser Keramik um die alten kirchlichen Zentren in Siegen, Netphen und Raumland (alle St. Martin) und die benachbarten karolingischen Burgen (Burggraben, vgl. S. 148; Alte Burg bei Bad Laasphe, vgl. S. 113) auf eine Wiederbesiedlung hindeuten. Die gleichzeitigen Schmiedebefunde

der Fludersbach zeigen, daß im frühen Mittelalter wieder mit der Weiterverarbeitung von Eisen, also wohl auch mit seiner Gewinnung begonnen und damit eine Tradition eröffnet wurde, die bis in die jüngste Zeit andauerte (Sönnecken u. Theis 1963; vgl. auch S. 75).

Literatur:
H. Beck, Zur vor- und frühgeschichtlichen Besiedlung Südwestfalens. Westfalen 29, 1951, 9–26 – D. Bérenger, Die römische Kaiserzeit. In: W. Kohl (Hrsg.), Westfälische Geschichte 1. Veröffentlichungen der Historischen Kommission 43 (1983) 167–185 – R. Gensen, Der Christenberg bei Münchhausen. Führungsheft zu der frühkeltischen Burg und der karolingischen Kesterburg im Burgwald, Landkreis Marburg-Biedenkopf. Archäologische Denkmäler in Hessen 77 (1989) – W. Görich, Die Fernwege. In: L. Bald, Das Fürstentum Nassau-Siegen. Schriften des Instituts für geschichtliche Landeskunde von Hessen und Nassau 15 (1939) 5–26 – R. Hachmann, G. Kossack, H. Kuhn, Völker zwischen Germanen und Kelten. Schriftquellen, Bodenfunde und Namengut zur Geschichte des nördlichsten Westdeutschland um Chr. Geb. (1962) – A. K. Hömberg, Die karolingisch-ottonischen Wallburgen des Sauerlandes. Zwischen Rhein und Weser (1967) 80–113 – B. Korzus, Die Fundmünzen der römischen Zeit in Deutschland, Abt. VI Nordrhein-Westfalen, Band 5 Arnsberg (1972) – R. Pott, Pollenanalyse heimischer Moore. Beiträge zur Wald- und Siedlungsentwicklung des westfälischen Berg- und Hügellandes aufgrund neuer pollenanalytischer Untersuchungen. Siegerland 66, 1989, 37–48 – W. Winkelmann, Frühgeschichte und Frühmittelalter. In: W. Kohl (Hrsg.), Westfälische Geschichte 1. Veröffentlichungen der Historischen Kommission 43 (1983) 188–230.

Philipp R. Hömberg

Zur Landes- und Wirtschaftsgeschichte in Mittelalter und früher Neuzeit

Landesgeschichte des Siegerlandes

»Die Geschichte des Hauses Nassau und der Nassauischen Länder reichet, wie es vornehmlich bei allen kleineren Ländern des deutschen Reichs der Fall ist, nicht über das elfte Jahrhundert hinaus, wenn man anders die fabelhaften Erzählungen eines Textors und mehrerer älteren und neueren Schriftsteller nicht für zuverlässige Wahrheiten annehmen will.« Mit diesen Worten leitete Johannes Arnoldi 1799 sein dreibändiges Werk über die »Oranien Nassauischen Länder und ihrer Regenten« ein. Bei den Nachforschungen zu den Ursprüngen des Hauses Nassau bemühte er sich erst gar nicht, es den älteren Historienschreibern gleichzutun, denn diese glaubten, so Arnoldi, »– nach dem Geschmack der damaligen Zeiten – dem Glanz dieses berühmten Geschlechts Abbruch zu thun, wenn sie seine Ahnen nicht mit einer Alt-Römischen Patricierfamilie in Verbindung brächten. Um Beweise waren sie unbekümmert, an Erdichtungen aber desto reicher.« Gleichwohl war es schon Arnoldi, der auf die unmittelbaren Vorfahren der nassauischen Grafen hinwies. Als gesichert kann gelten, daß die Geschichte des Hauses Nassau im 10. Jahrhundert mit den Grafen von Laurenburg und Arnstein an der unteren Lahn begann. Den Namen Nassau legten sie sich erst nach Errichtung der neuen Stammburg im 12. Jahrhundert zu. Was die Laurenburger in das Siegerland brachte, waren die im Auftrag der Mainzer Erzbischöfe ausgeübten Vogteirechte, denen von 1079–1089 Graf Ruprecht nachkam. Ob man ihn auch als »Graf von Siegen« bezeichnen kann, wie es gelegentlich geschieht, mag dahingestellt bleiben. Jedenfalls stand zu diesem Zeitpunkt die spätere Grafschaft Siegen unter maßgeblichem Einfluß der Mainzer Erzbischöfe, den ihnen an den süd- bis nordwestlichen Rändern des Siegerlandes die Trierer und Kölner Erzbischöfe streitig machten.

Schon Mitte des 12. Jahrhunderts besaßen die nassauischen Grafen ausgedehnte Besitzungen an Lahn, Eder und Dill, die durch weitere Aneignungen u. a. auf dem Westerwald erweitert wurden (Abb. 21). Durch ihren nordwestlich gelegenen Besitz, dem Siegerland, standen die Grafen in enger Nachbarschaft zu den mächtigen Kölner Erzbischöfen, deren Marschall- und Schenkenamt sie zeitweise innehatten. Die damit verbundene Abhängigkeit von den Erzbischöfen führte wahrscheinlich 1224 zum Verlust der halben Stadt Siegen an Kölner Erzbischöfe. Siegen blieb danach für ca. 200 Jahre in gemeinschaftlichem Besitz.

Einen Bruch in der territorialen Expansion trat 1255 mit dem Teilungsvertrag zwischen den Grafen Walram II. (1252– nach 1265) und Otto I. (1247–1289) ein. Neben einigen kleineren Besitzungen, die im gemeinschaftlichen Herrschaftsbereich verblieben, teilten die Brüder das nassauische Territorium entlang der Lahn in einen nördlich und einen südlich davon gelegenen Teil. Diese erste Teilung begründete die nassau-walramischen und -ottonischen Linien. Weitere Teilungen folgten später, die das Land vielfach in kleinere Herrschaftsgebiete zerstückelten. Durch Erbschaften fielen aber selbständige Linien wieder zurück an die Hauptlinie Nassau-Dillenburg-Siegen, und durch Heiraten und den damit verbundenen Erwerb von Rechten gelangten die Nassauer in den Besitz neuer Territorien, wie z. B. die Grafschaft Vianden und verschiedene in den südlichen Niederlanden gelegene Herrschaften, deren Mittelpunkt Breda wurde. Die neue Herrscherlinie Nassau-Breda ihrerseits erwarb durch Heirat und die damit verbundenen Rechtstitel den Besitz des südfranzösischen Fürstentums Oranien (Orange). Aus dieser Linie gingen seit dem frühen 16. Jahrhundert die Statthalter der Niederlande hervor.

Neben dem teilweise für fast 200 Jahre beherrschenden Einfluß der Kölner Erzbischöfe im Siegerland (1224–1421) lag die tatsächliche Herrschaftsausübung bis Ende des 15. Jahrhunderts vielfach in den Händen örtlicher bzw. benachbarter Adelsgeschlechter, z. B. bei den Herren von Bicken, von Haiger oder von Seelbach. In immer

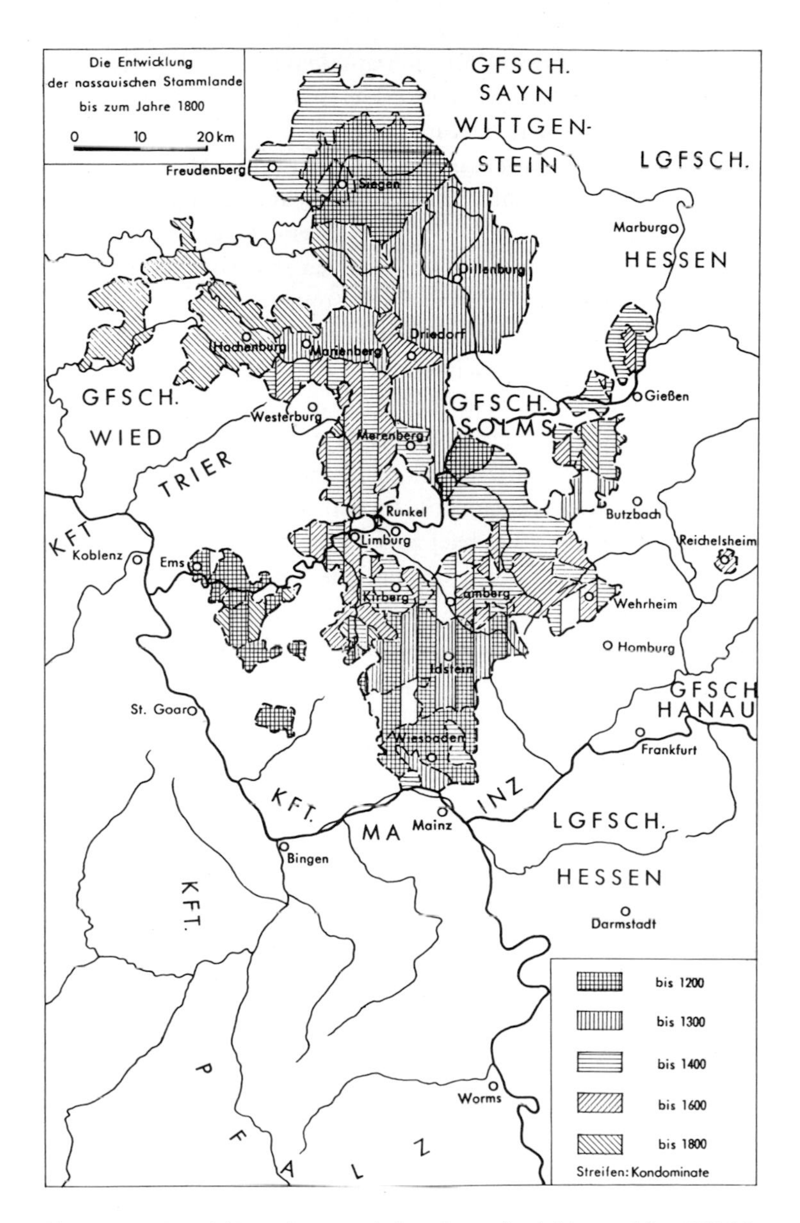

Abb. 21 Die Entwicklung der nassauischen Stammlande bis zum Jahre 1800 (ohne die wieder abgegebenen Gebiete). Nach Demandt.

neuen, mitunter heftigen Kämpfen mit dem lokalen Adel sicherten sich die nassauischen Grafen ihre Herrschaftsansprüche, mußten dabei aber auch Verluste in Kauf nehmen. Der niedere Adel versicherte sich bei den Auseinandersetzungen mit dem Landesherrn vielfach der Hilfe benachbarter Herrscher, um gegen die Nassauer bestehen zu können. Letztlich verlor er seine Selbständigkeit und geriet in Lehnsabhängigkeit von den nassauischen Grafen. Die Zurückdrängung des niederen Adels sowie die ersten schriftlich fixierten Gesetzeswerke (Kodifikationen) ausgangs des 15. Jahrhunderts stellten einen gewissen Abschluß bei der Bildung eines nassauischen Territorialstaats dar.
Das 16. Jahrhundert verlief in ruhigeren Bahnen: Die landesherrliche Politik war auf den Ausbau der Landesverwaltung gerichtet und schritt zügig voran. Auch die Einführung der Reformation, die um 1530 den Glaubenswechsel zum Luthertum und in den 1570er Jahren zum Calvinismus mit sich brachte, vollzog sich weitgehend ohne große Widerstände. Erst das Engagement der Brüder Wilhelm von Nassau-Oranien und Johann von Nassau-Dillenburg im niederländischen Freiheitskampf gegen die Spanier (ab 1568) führte zu lebhaften außenpolitischen Aktivitäten und beeinflußte nachhaltig die Politik in den Stammlanden, wie z. B. beim Übergang zum Calvinismus. Wilhelm von Nassau-Oranien, der den niederländischen Aufstand anführte, besaß dabei die Unterstützung der gesamten Familie. Diese nahm dafür nicht nur große finanzielle Belastungen hin, sondern leistete auch militärischen Beistand, bei dem u. a. drei Brüder und drei Söhne von Johann VI. von Nassau-Dillenburg ums Leben kamen. Während der ersten Jahrzehnte des niederländischen Befreiungskampfes besaß das nassauische Grafenhaus seine größte politische Macht und Bedeutung. Diese währte aber nur für kurze Zeit. Bereits die Teilung von 1606 legte den Grundstein für die politische Bedeutungslosigkeit der nassauischen Stammlande. Jeder der fünf Söhne Johann VI. erhielt, dem traditionellen Erbrecht folgend, einen Teil der Grafschaft Nassau-Dillenburg. Die nunmehr selbständigen Grafschaften Dillenburg, Siegen, Diez, Hadamar und Beilstein waren jede für sich zu klein, um bedeutenden politischen Einfluß ausüben zu können. Es dauerte

außerdem keine zwei Jahrzehnte mehr, bis auch die konfessionelle Einheit zerfiel. Maßgeblich hierfür waren die Ereignisse in Nassau-Siegen.
Im Glauben, durch eine weitere Teilung in der Grafschaft Nassau-Siegen das reformierte Bekenntnis zu sichern und den Einfluß seines erbberechtigten und zum katholischen Glauben übergetretenen Sohnes zu schmälern, verfügte Johann VII. testamentarisch eine Aufteilung des ohnehin schon kleinen Landes in drei Teile. Die von Johann VIII. betriebene Gegenreformation wie auch die Gegenmaßnahmen seines protestantischen Bruders Johann Moritz legten den Grundstein für eine mehr als einhundert Jahre dauernde Trennung der Grafschaft in einen katholischen und einen evangelischen Teil. Die während dieser Zeit geführten Auseinandersetzungen zwischen den Konfessionen, u. a. um Kirchen und Schulen, verliefen teilweise gewalttätig, hinterließen einen tiefen Riß in Nachbarschaft und Familie und schürten einen ausgeprägten Haß auf den jeweils Andersgläubigen. Die damals grundgelegten konfessionellen Gegensätze sind heute immer noch – wenn auch stark abgeschwächt – in der Mentalität der Siegerländer latent vorhanden.
Erst mit dem Ableben der evangelischen (1734) bzw. dem Herrschaftsverzicht der katholischen Linie (1742) ließen die Auseinandersetzungen nach. Noch im selben Jahr fielen alle nördlich der Lahn gelegenen nassauischen Nebenlinien an das Haus Nassau-Diez. Dieses trat 1747 auch die Erbstatthalterschaft in den Niederlanden an, so daß nunmehr die links- und rechtsrheinischen nassauischen Gebiete wieder vereint waren. Die von aktiver Wirtschaftsförderung (Merkantilismus) und verhaltener Aufklärung geprägte Herrschaft der Nassau-Oranier dauerte bis 1806 an. Danach wurde ein Großteil der nassauischen Länder und damit auch das Siegerland in das unter französischer Herrschaft stehende Großherzogtum Berg eingegliedert. Nach dem Wiener Kongreß und weiteren Verhandlungen mit dem Herzogtum Nassau sowie dem niederländischen König aus dem Haus Nassau-Oranien wurde das Siegerland 1815/16 schließlich preußisch.

Die Grafschaft Wittgenstein nahm eine ähnliche Entwicklung wie die nassauischen Gebiete. Die Wittgensteiner Grafen werden 1174 erstmals als Vögte des Klosters Grafschaft (Sauerland) im Gebiet der oberen Lahn erwähnt. Ihre Selbständigkeit blieb über die Jahrhunderte stets gefährdet. Zuerst standen die Grafen unter dem Einfluß der Mainzer Bischöfe, dann mußten sie die Grafschaft je zur Hälfte an die Grafen von Burgsolms und Nassau verpfänden, bis sie sich schließlich eng an die Landgrafschaft Hessen anlehnten, die ihnen eine gewisse Autonomie zusicherte. Auch blieb die kleine Grafschaft nicht von einer zeitweiligen Teilung im 14. und 15. Jahrhundert und seit 1603/1605 von einer dauernden Teilung verschont, die zur Begründung der beiden Linien Sayn-Wittgenstein-Berleburg und Sayn-Wittgenstein-Hohenstein führte. Später als im Nassauischen wurde der innere Ausbau der Territorialherrschaft abgeschlossen, der auch dort mit dem Zurückdrängen des niederen Adels einsetzte und mit dem Aufbau einer funktionsfähigen Verwaltung, an deren Abschluß die umfassenden Gesetzgebungswerke wie Kirchen-, Gerichts-, Polizei-, Schreiberei- sowie die Ehe- und Hausordnung in der zweiten Hälfte des 16. Jahrhunderts standen, sein vorläufiges Ende fand. Die ebenfalls zum Calvinismus übergetretenen Grafen waren im 18. Jahrhundert andersgläubigen Christen gegenüber tolerant und erlaubten die Ansiedlung von Sekten im Wittgensteinischen. Nur wenige Jahre nachdem die Wittgensteiner Grafen in den Reichsfürstenstand erhoben worden waren (1792), verloren sie 1806 ihre Besitzungen an das Großherzogtum Hessen, die nach dem Wiener Kongreß wiederum an Preußen fielen.

Bergbau

Schon bei der ersten Teilung des Landes 1255 waren der Bergbau und die Verhüttung der Erze wahrscheinlich von Bedeutung; zahlreiche Bodenfunde zeugen von mittelalterlichen Verhüttungsplätzen. Der wirtschaftliche Faktor gab bei Otto von Nassau offensichtlich den Aussschlag, sich für die nördlich der Lahn gelegenen nassauischen Territorien zu entscheiden.
Bereits 30 Jahre zuvor existierte in Siegen eine Münzstätte, deren tatsächliches Alter zwar unbekannt, deren Produktion aber anhand eines Münzfundes mit der Umschrift »Siegensis Civitas« schon für die Mitte des 12. Jahrhunderts belegt ist. Dieser Sachverhalt läßt auf einen regen Bergbau, besonders auf silberhaltige Erze, schließen. Urkundliche Nachrichten über den Siegerländer Bergbau sind dagegen erst aus dem 13. und 14. Jahrhundert überliefert. 1298 belehnte der deutsche König Adolf von Nassau seine Vettern, die Grafen Heinrich und Emicho von Nassau, »mit dem Bergwerk am Ratzenscheit, und mit allen Bergen in Ihren Landen, wo man Silber suchen und finden könne«. Zu diesem Zeitpunkt wurden aus dieser Grube silberhaltige Erze gewonnen. Das älteste urkundlich belegte Eisensteinbergwerk dagegen ist der erstmals 1313 erwähnte »Stahlberg« bei Müsen. Gleichwohl wurde schon über 100 Jahre früher in dessen unmittelbarer Nähe Bergbau betrieben. Ausgrabungen haben auf dem zwischen Müsen und Littfeld gelegenen Altenberg in den 1970er Jahren eine hochmittelalterliche Bergbausiedlung erbracht (vgl. S. 129). Aus mehreren Schächten wurden Buntmetallerze gefördert, die in den am Fuße des Berges gelegenen Verhüttungsplätzen erschmolzen wurden.
Schachtbau wie auf dem Altenberg war im Siegerländer Bergbau damals eher die Ausnahme als die Regel. Vielfach folgten die Bauern, die den Bergbau nebengewerblich betrieben, den zutage tretenden Erzlagern, lasen die losen Stücke auf oder betrieben mit Hacke und Schaufel Tagebau. Zeugnisse solcher Tätigkeiten sind die zahlreichen, in ihren Ausmaßen mitunter beträchtlichen Pin-

gen. Diese einfache Art der offenbar vorherrschenden Erzgewinnung hielt über mehrere Jahrhunderte hinweg an. Zunehmend traten dabei Mißstände auf, deren Abstellung im 16. Jahrhundert Gegenstand landesherrlicher Politik wurde. Ein Erlaß Johanns VI. von Nassau aus dem Jahr 1562 ordnete an, daß alle »Gruben und Kauten« wieder zugeworfen werden sollten, die öffentliche »Wege und Strassen« beeinträchtigten, und verbot das Schürfen auf den Bergrücken, »wo doch nicht der beste, sondern der schlechteste Eisenstein gefunden werde«. Abhilfe brachte der gräflichen Verordnung zufolge nur der Zusammenschluß der Produzenten und Verbraucher: »so ist geordnet, daß hinfurter die, so den eisenstein haben und gebrauchen muessen, sich zusamen thun und einen samenden stollen in die tiefte treiben, dadurch der berg gedrucknet[,] sie zu guter arbeit und den besten eisenstein kommen mogen«. Diese Anregung findet sich später in weiteren Verordnungen wieder.

In aller Deutlichkeit benannte aber erst die »Geschworene Montagsordnung« von 1586 die Personen, die sich zusammenfinden sollten, um den Bergbau auf den Stand der Zeit zu bringen. Außerdem betonte die Verordnung das von einem blühenden Bergbau abhängige Gemeinwohl, zumal viele andere Gewerbe von diesem Produktionszweig abhingen: »Und nachdem in der höhe der unartigst und schlechteste isenstein, in der tiefe aber der beste stambstein zu bekommen, so solten massenblöser, isenhendler, hütten- und berkleut sowohl ihnen selbst als auch dem ganzen land zum besten, uft daß das eisen und der eisenhandel in gutem rum und wesen bestendig erhalten werden möge, stollen in die tiefe treiben.« Gleichwohl entwickelte sich seit dem Spätmittelalter auch der bergmännisch fachgerechte Abbau der Erze, der aber wegen der hohen Kosten bei der Anlegung eines Stollens oder Schachtes nur langsam voranschritt und wohl erst seit dem 17. Jahrhundert als Abbaumethode vorherrschend wurde. Stollenbau besaß gegenüber dem Schachtbau den dreifachen Vorteil, daß er aufwendige Wasserhaltungstechniken erübrigte, für die Bewetterung der so erschlossenen Gruben sorgte und zudem die Förderung der gewonnenen Erze erleichterte.

Ebenfalls kam es seit dem 15. Jahrhundert, u. a. begünstigt durch das geltende Realerbrecht, zur Herausbildung von Berggewerkschaften. Diese verfügten gegenüber den als Eigenlöhner arbeitenden Bergleuten über das notwendige Kapital, um einen sachgerechten und auf Dauer erfolgreichen Bergbau zu betreiben. Neben gewerkschaftlich betriebenen Gruben gab es aber auch weiterhin die Einmannbetriebe. Die Gewerken-Bergleute arbeiteten zunächst noch auf eigene Rechnung, während später zwischen Gewerken und Bergleuten Arbeitsverträge geschlossen wurden. Von den drei möglichen Vertragsarten: Lösegeld-, Schichtlohn- und Gedingelohnvertrag, scheint der erste der häufigste gewesen zu sein; danach bestimmte sich der Lohn der Bergleute nach der geförderten Menge Eisenstein. Diese Art des Kontraktes führte teilweise zu Raubbau und unsachgemäßem Ausbau in den Gruben, wie Sachverständige des ausgehenden 18. Jahrhunderts bezeugen. Erst 1771 schritt die Landesregierung gegen diese Form der Entlohnung ein. Damit reagierte sie auf den Sachverhalt, daß im Fürstentum Siegen »nicht nur die Verpachtung ganzer Zechen, sondern auch die denselben sehr ähnliche sog. Loscontracte, nach welchen von den Arbeitern weder im Gedinge noch Schichtlohn gearbeitet, und denen selben nur allein von einer gewissen geförderten Quantität Stahl- und Eisenstein oder auch Erzen, ein bestimmtes Geld bezahlet wird, allzusehr überhand genommen, und gegen die klare Verordnung der Bergrechte eingerissen seyen«.
Zeitgleich mit dem Ausbau der Landesverwaltung griff der Landesherr, selber Teilhaber an Grubengewerkschaften, im 15. und vor allem im 16. Jahrhundert mit rechtlichen und administrativen Regelungen in den Bergbau ein. Die sog. »kleine Bergordnung« von 1592 faßte ältere, aus dem Gewohnheitsrecht entstandene und sich daran anschließende bergrechtliche Bestimmungen zusammen. Sie betraf allerdings nur den Eisensteinbergbau, während eine andere Bergordnung bereits 1559 für den im Siegenschen bedeutenden Silber-, Blei- und Kupferbergbau erlassen worden war. Diese löste im 17. Jahrhundert die »kleine Bergordnung« ab und bildete die gesetzliche Grundlage für den Siegerländer Bergbau bis ins 19. Jahrhundert hinein.

Neben den bergrechtlichen Bestimmungen kam es zum Aufbau einer eigenen landesherrlichen Bergverwaltung. Schon vor dem Erlaß der ersten Bergordnungen gab es in Siegen ein Berggericht, dem ein Bergmeister und die Bergschöffen vorstanden. Den Bergmeistern der beiden Bergreviere Siegen und Müsen oblag außerdem als landesherrlichen Beamten die Aufsicht über den Bergbau, wobei sie auf die Mithilfe der Bergschöffen angewiesen waren. Wer Bergbau betreiben wollte, mußte Mitglied der seit dem Spätmittelalter bestehenden Bergzunft sein. In einem Bescheid des 16. Jahrhunderts wurde der Personenkreis der Zunftmitglieder genauer umrissen: »alle diejenigen, so im amt Siegen mit der keilhauen eisenstein gewinnen«. Nur mit einfachen Mitteln, Schlägel und Eisen, Keilhaue und Kratze, betrieben die Bergleute jahrhundertelang den Bergbau (Abb. 22). Erst seit dem späten 17. Jahrhundert gingen sie vermehrt dazu über, mit Bohren und Sprengen das Erz aus dem Gestein zu lösen, und förderten dadurch während einer Schicht größere Mengen an Erz aus dem Berg als jemals zuvor.

Abb. 22 Bergmännische Arbeit vor Ort. Zeichnung um 1800. Nach »Ich gab dir mein Eisen«.

Bodenfunde belegen, daß die mittelalterlichen Standorte der Eisenverhüttung in den Wäldern lagen, nahe dem Holz, das in Form der Holzkohle zum wichtigsten Energieträger wurde. In »Schachtöfen« wurde das Eisen erschmolzen; die Luftzufuhr erfolgte durch Hand- oder Tretgebläse. Die Wasserkraft machten sich die Schmiede erst im Laufe des 14. Jahrhunderts zunutze. Eine Urkunde aus dem Jahr 1311 läßt zwar schon recht früh die Verwendung dieses Energieträgers vermuten, ob aber schon die damals erstmals belegte »mashutte uf der Weste« (Massenhütte an der Weiß) das Wasser des Baches als Antriebskraft nutzte, ist unklar. Erst 100 Jahre später finden sich gesicherte schriftliche Nachweise, die den Einsatz der Wasserkraft belegen. Ob damit die Hämmer oder die Blasebälge betrieben wurden, darüber geben die Quellen allerdings keinen Aufschluß. Noch während des 15. Jahrhunderts bestanden sowohl Menschen- wie Wasserkraft nebeneinander. Die ersten eindeutigen Belege für eine Veränderung in der Produktionstechnik stammen aus der Mitte des 15. Jahrhunderts. Ein Weistum von 1443 regelte die gemeinsame Benutzung eines Wassergrabens durch zwei Mühlen oder Hütten, und 1447 war es das Wasserrad des Hammerwerks von Müsenershütten, das mit Wasserkraft in Bewegung gesetzt wurde. Im Siegerland breiteten sich die neuen Hüttenstandorte in den Tälern relativ schnell aus. Bereits 1417/19 gab es 25 Hütten, von denen eine als Hammerhütte bezeichnet wurde; 1444/45 waren es 35 Hütten, darunter sieben Hammerhütten. Weitere 60 Jahre später lag die Zahl der Betriebe bei 42, davon waren 27 Blashütten und 15 Hammerhütten. Die Blashütten an den Wasserläufen besaßen bis ins 15. Jahrhundert hinein noch vielfältige Ähnlichkeit mit ihren Vorläufern (Abb. 23).

Das Produkt der Blashütten war ein in direktem Verfahren erzeugtes Schmiedeeisen, das zumeist an Ort und Stelle auch ausgeschmiedet wurde. Erst mit der neuen Technik des Hochofens, bestehend aus Schacht, Rast und Gestell, kam es auch zur räumlichen Trennung zwischen Hütten- und Hammerwerk und zur Anwendung des indirekten Verfahrens bei der Eisenherstellung.

Der Hochofen entwickelte sich im Siegerland parallel zu dem in dieser Zeit ebenfalls zur Blüte gelangenden Eisenguß, aus dem Geschütze und Kugeln, gußeiserne Öfen und Ofenplatten und andere Gerätschaften hergestellt wurden. Mit der Einführung der neuen Hochofentechnik ging ein »gewaltiger Produktionsfortschritt« einher. Durch die größere Hitze ließen sich Eisen und Schlacke besser trennen, und die Hüttenleute gewannen dadurch eine höhere Ausbeute aus dem Erz. In den Hammerwerken wurde anschließend das noch sehr kohlenstoffhaltige Roheisen, das nicht ausgeführt werden durfte, erneut eingeschmolzen und überwiegend zu Stangen und Stäben, weniger zu Kleineisen wie Faßreifen, Radschienen, Pflugscharen u. a. mehr ausgeschmiedet.
Die Hütten- und Hammerwerke waren anfänglich nur im Besitz einzelner Betreiber. Aber auch hier machten sich, wie im Bergbau, die Realerbteilung und die hohen Anlagekosten mit der Zeit bemerkbar, so daß eine Zersplitterung des Besitzes eintrat. Die einzelnen Anteilseigner schlossen sich in Hütten- oder Hammergewerkschaften zusammen. Der Landesherr, mitunter selbst Teilhaber an einer Hütte, betrieb ebenso wie der niedere Adel außerdem eigene Werke. Beide nahmen eine Sonderstellung insofern ein, als sie sich nicht an die zünftischen Beschränkungen hielten, dadurch eine starke Konkurrenz darstellten und vor allem eine bedeutende Menge Holzkohle benötigten, die ebenso wie der Zehntstein kostengünstiger bezogen wurde, als dies die anderen Hütten- und Hammerwerksbetreiber vermochten. Diese einseitigen Vorteile und die daraus resultierenden Engpässe in der Energieversorgung der privaten Werke waren mehrfach Gegenstand von Eingaben der Massenbläser und der Hammerschmiede. Der Landesherr verzichtete schließlich 1555 auf deren Betreiben hin auf seine Werke, mit Ausnahme der Hütte und des Stahlhammers zu Freudenberg, für die Summe von 2100 Gulden und untersagte die Errichtung weiterer Hütten- und Hammerwerke. Gleichwohl wurden in der zweiten Hälfte des 16. Jahrhunderts noch neue Stahlhämmer im Amt Freudenberg errichtet, während wegen Kohlenmangels die Zahl der Massenhütten von 34 auf 17 abnahm; 1600 standen nur noch 33 Hütten- und Hammerwerke im Siegerland unter Feuer.

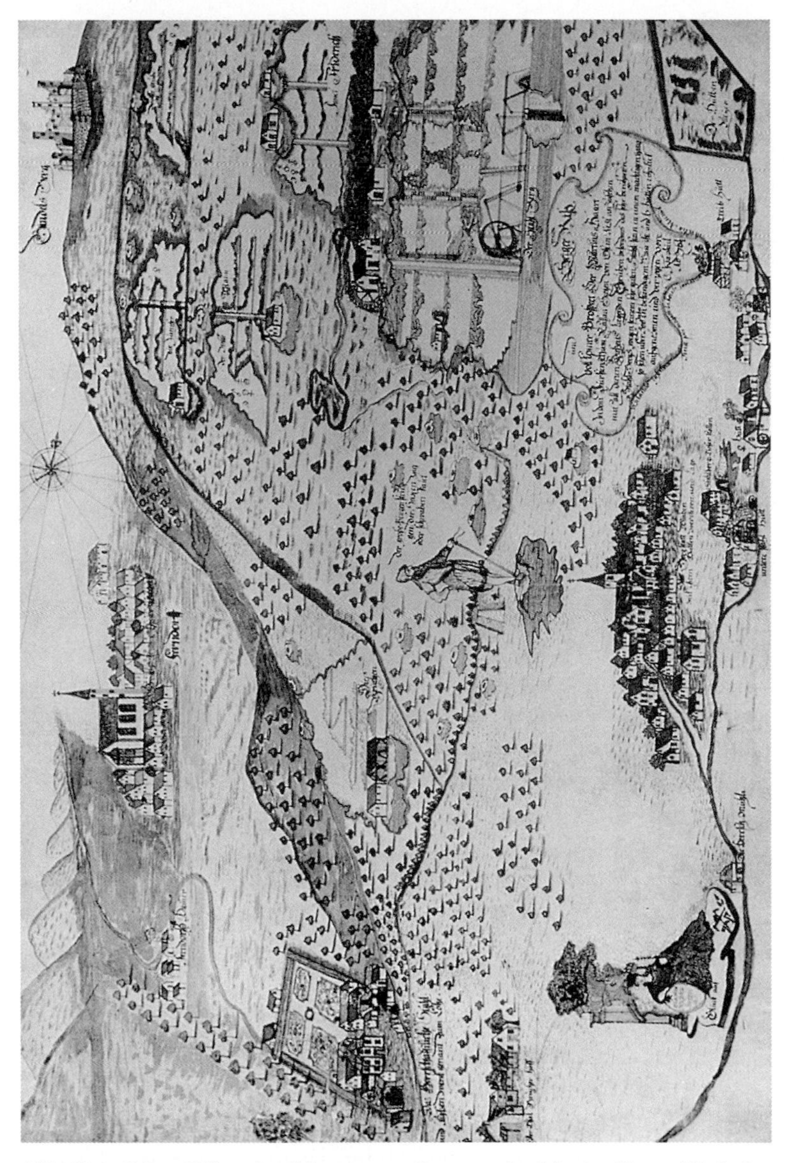

Abb. 23 »Seiger Riß und voll kommener Prospect der Martins Hart«. Die kolorierte Handzeichnung von C. Kraphiel aus dem Jahre 1764 veranschaulicht sehr schön den Zusammenhang von Bergbau (rechts) und Metallgewerbe nahe den Orten Müsen (unten) und Ferndorf (oben) im nördlichen Siegerland.

Genaueren Aufschluß über die Art der einzelnen Hütten- und Hammerwerke geben Nachrichten aus dem 17. Jahrhundert. Danach bestanden im nunmehrigen Fürstentum Nassau-Siegen (seit 1652) im Jahre 1642 10 Eisen- und 7 Stahlhütten sowie 18 Eisen- und 13 Stahlhammerwerke. Deren Anzahl verschob sich bis Ende des 18. Jahrhunderts nur geringfügig, eine Stahlhütte wurde bereits 1642 aufgegeben. Außerdem gab es einige Metallhütten, in denen Silber-, Blei- und Kupfererze erschmolzen wurden. Hinzugekommen waren mittlerweile 12 Reckhammerwerke, deren Betriebskonzession anfänglich an den Gebrauch auswärtiger Holzkohlen und im ausgehenden 18. Jahrhundert an den von Steinkohle gebunden war.

Die Zunahme der Reckhämmer hatte mehrere Gründe. Seit dem ausgehenden 17. Jahrhundert entstanden im Herzogtum Berg und in der Grafschaft Mark zahlreiche weiterverarbeitende Reckhammerwerke, die ihr Reckeisen u. a. von den siegenschen Hammerwerken bezogen und daraus vor Ort Fertigprodukte herstellten. Um die auswärtige Nachfrage zu befriedigen, stellten die Hammerschmiede des Siegerlandes das Schmieden von Kleinteilen fast gänzlich ein und beschränkten ihre Produktion auf das Reckeisen, das in einem einmaligen Erhitzungsprozeß unter einem schwereren Hammer ausgeschmiedet wurde. Bei der Herstellung von Reckeisen kam es zu beträchtlichen Produktionssteigerungen, die gegenüber dem mehrmaligen Erhitzen beim Schmieden von Kleineisen mit einer Kohlenersparnis einhergingen. Die siegenschen Reckhämmer übernahmen dafür die Fertigproduktion von Kleineisenteilen im Siegerland, die zuvor bei den Hammerwerken gelegen hatte.

Die Hüttenleute und Hammerschmiede waren in Zünften organisiert und die Betriebszeiten der Hütten- und Hammerwerke schon frühzeitig reglementiert, um die Energieversorgung aller Werke sowohl mit Wasser als auch mit Holzkohle einigermaßen zu gewährleisten. Die Betriebszeit der Hüttenwerke, die sog. Hüttenreise, verdoppelte sich im 15. Jahrhundert zwar noch von drei bis vier Wochen auf acht Wochen, und der Kurbrief von 1516 gestattete gar eine von 12 Wochen jährlich. Aber schon 1528 mußte die Hüttenzeit wiederum auf acht Wochen und einige Gemeinschaftstage reduziert werden. Gleichwohl kam es nach 1555 bei den noch bestehenden Werken zu längeren Hüttenreisen, denn die Betriebszeiten und Berechtigungen der stillgelegten Werke wurden auf jene übertragen, so daß manche nunmehr zwei oder gar drei Reisen lang im Jahr betrieben werden durften. Die Dauer einer Hammerreise betrug dagegen 24 Tage, und jeder Hammer war zu zehn solcher Reisen im Jahr berechtigt. Seit 1528 wurde hier der Tag zu 16 Stunden gerechnet, nachdem das Nachtschmieden ausdrücklich verboten worden war. Beim einherdigen Schmieden im 18. Jahrhundert wurde dagegen die tägliche Betriebsdauer sukzessive auf den ganzen Tag ausgedehnt. Allerdings konnten diese ideellen Zeiten vielfach nicht eingehalten werden. Allein die klimatischen Verhältnisse, wie strenge, kalte Winter und heiße, trockene Sommer, führten zu einem Einbruch der Energieversorgung und schränkten die Betriebszeiten mitunter erheblich ein. Diese konnten auch nur selten durch die genehmigten Nachhüttungstage ausgeglichen werden.

Holzmangel und Haubergswirtschaft

Ein weiteres Energieproblem im Hütten- und Hammerwesen stellte die ausreichende Versorgung mit Holzkohlen dar. Holz war in einer gewerbereichen Region wie dem Siegerland ein knappes Gut. Die vielen Hütten- und Hammerwerke benötigten es in großen Mengen, die privaten Haushalte benutzten es als Brenn- und Heizmaterial; außerdem fand es als Bau- und Werkholz mannigfache Verwendung.

So verwundert es nicht, daß bei den vielfältigen Interessen an Holz häufig Klagen über Holz(kohlen)mangel die zeitgenössischen Quellen des ausgehenden Mittelalters und der frühen Neuzeit durchziehen. Ob es sich dabei jeweils um einen tatsächlichen oder vermeintlichen Mangel gehandelt hat, muß dahingestellt bleiben, zumal zu berücksichtigen gilt, daß eine bedarfsdeckende Versorgung mit Holzkohle außerdem ein Transportproblem darstellte. Der Transport der spröden Holzkohle war auf holprigen und unbe-

festigten Fuhrwegen nicht ohne große Verluste über beliebig weite Strecken zu bewerkstelligen und wäre deshalb nur ein geringer Beitrag zur Behebung des Mangels gewesen (Abb. 24).
Gerade in Zeiten verstärkter wirtschaftlicher Expansion im Hütten- und Hammergewerbe wie im 15./16. und auch später im 18. Jahrhundert machte sich der Kohlenmangel besonders bemerkbar. Dieser führte auch dazu, daß die montangewerblichen Betriebe immer wieder mit Betriebseinschränkungen konfrontiert waren. Schon in einer landesherrlichen Rechnung von 1489 wurde vermerkt: »Item dey huttelude haint dieß jars wenich geblaßen gebrech halber an kolen.« Aber die Folgen des bestehenden Holzkohlemangels reichten über betriebliche Einschränkungen hinaus und zeitigten ebenfalls gesamtwirtschaftliche Wirkungen. In diesem Sinne sind die einleitenden Bemerkungen der Holz- und Waldordnung von 1562 zu verstehen: »... allerhandt Unordnungen, besonders und erstlich, daß das Gehölze, Haugberge und Hochgewälde, in beschwerlichen und schedlichen Abgang geraten, ..., also das der Eisen-, Staal-, Bley- und Kupfer- Handel in denen nit das geringst Gewerb, Handtirung und Narung in dieser unser Landtsart stehet, gar zu Boden gehen wurden«. Um wenigstens das ständige Problem des Holz(kohle)mangels einigermaßen in den Griff zu bekommen, schritt auch hier vor allem die Landesherrschaft regulierend ein. Zahlreiche forstpolizeiliche Verordnungen wurden erlassen, gegenseitige Ausfuhrverbote wie z. B. 1478 mit der ebenfalls montangewerblich geprägten Grafschaft Sayn vereinbart, spezielle Holzsparmaßnahmen eingeleitet und ab dem 16. Jahrhundert Verträge mit benachbarten Territorien wie Kurköln und Wittgenstein über Kohlenlieferungen geschlossen. Gerade die Waldungen der Wittgensteiner Grafschaft stellten einen nicht unbedeutenden Anteil an der Versorgung des Siegerlandes mit Holzkohle und verschafften dem kleinen Territorium eine wichtige Einnahmequelle.

Abb. 24 Meilerverkohlung, Kupferstich von 1779: 1 Vorbereiten des Meilerplatzes und Aufstellen des »Wischs«, 2 Setzen des Kohlholzes, 3 Abdecken des Meilers, 4 Bau der Köhlerhütte, 5 und 6 Brennende Meiler. Nach Jung.

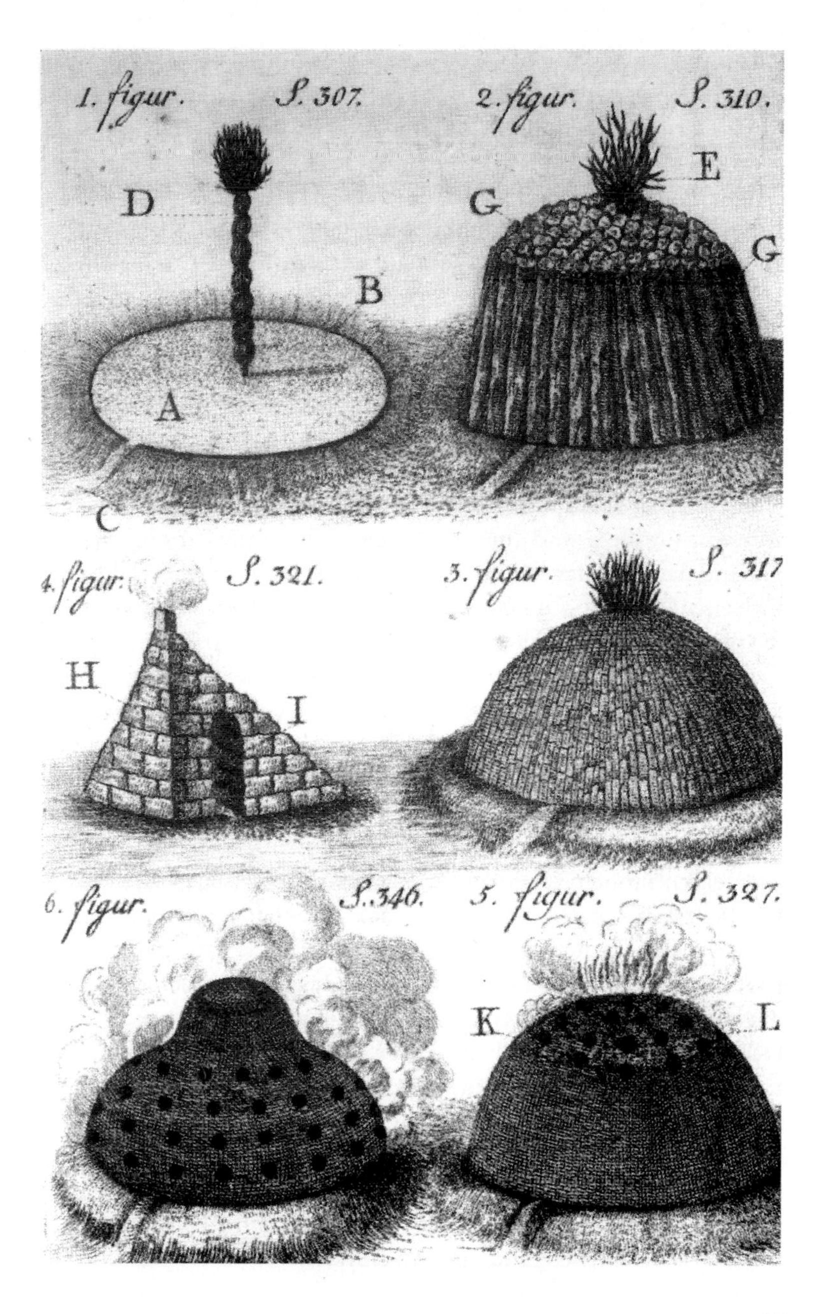
1. figur.
S. 307.
2. figur.
S. 310.
D
E
G
G
B
A
C
4. figur.
S. 321.
3. figur.
S. 317
H
I
6. figur.
S. 346.
5. figur.
S. 327.
K
L

Gleichwohl gab es Zeiten, in denen der Mangel an Holzkohlen für den Betrieb der Hütten- und Hammerwerke weniger spürbar war. Im späten 16. Jahrhundert scheint das der Fall gewesen zu sein, denn die Massenbläser stellten in einer Eingabe an den Landesherrn fest: »Es haben sich auch die Kohlen dermaßen gebessert in diesem Lande, daß wir uns hinfürter verstehen zu Gott dem allmächtigen, es soll an Kohlen kein Mangel sein wie vormals.« Offensichtlich hatte sich der Holzkohlenmangel in den Jahren nach dem Vertrag von 1555 und der Verordnung von 1562 entschärft. In einer ihrer Bestimmungen verpflichtete sie nämlich die Untertanen, für jeden gefällten Baum vier neue anzupflanzen. Ob solchen Empfehlungen auch entsprochen und damit den Mangel an Holzkohlen teilweise gelindert wurde, bleibt fraglich, mußte doch auch in den folgenden Jahrzehnten wiederholt an die Holz- und Waldordnung erinnert werden. Größere und unmittelbarere Entlastung an Holzkohlen brachte dagegen der landesherrliche Verzicht auf die von ihm betriebenen Hütten- und Hammerwerke sowie die Einstellung weiterer privater Hütten, deren Betriebszeiten und Holzkohlequantitäten jedoch teilweise auf die übrigen Werke umgelegt wurden. Auch die Einführung holzsparender Produktionsverfahren bewirkte in den folgenden Jahrhunderten keine Entlastung, zumal die so erzielten Einsparungen zu einer Produktionsausweitung der Hütten- und Hammerwerke führten.

Grundsätzliche Abhilfe verschaffte auch nicht eine für das Siegerland eigentümlich ausgeprägte Niederwaldwirtschaft – die sog. Haubergswirtschaft. Diese, seit dem Mittelalter weitgehend auf genossenschaftlicher Basis betriebene Wald-, Feld- und Weidewirtschaft stellte ein ressourcenschonendes und regeneratives Bindeglied zwischen Landwirtschaft und Gewerbe dar. Das aus den Haubergen bezogene Holz deckte aber keineswegs den Bedarf der Hütten- und Hammerwerke an Holzkohlen. Um 1800 betrug dieser insgesamt 12000 Wagen, hiervon stammte nur rund ein Drittel aus den Siegerländer Wäldern; ein Verhältnis, das in den davorliegenden Jahrhunderten durchaus günstiger gewesen sein mag. Gleichwohl kam den Haubergen in ihrer mehrfachen Nutzungsweise – als Holzlieferant, als Anbaufläche für Getreide und als

Viehweide – eine besondere Bedeutung für die Siegerländer Wirtschaft bis zur Industrialisierung zu.
Die mit Laubbäumen bewachsenen Hauberge wurden in einem regelmäßigen Turnus bewirtschaftet. Ihr Ertrag lag um ein Viertel höher als der vergleichbarer Flächen, die mit Hochwald bestanden waren. Jedes Jahr kam nur der älteste Baumbestand, der lokalem Brauch zufolge 16 bis 20 Jahre alt sein konnte, zum Abtrieb. Der gesamte in einer Gemeinde liegende Hauberg machte somit 16 bis 20 sog. Schläge aus. Im Frühjahr erfolgte zuerst die Einteilung des jeweiligen Schlages gemäß den ideellen Anteilen der einzelnen Haubergsgenossen. Für die folgenden zwei Jahre stand ihnen dann die reale Nutzung zu. Nach einigen vorbereitenden Arbeiten im Hauberg, zu denen seit dem 18. Jahrhundert auch zunehmend das Lohschälen für die Gerbereien zählte, wurden die Bäume mit Ausnahme einiger Saatbäume bis auf die Wurzeln abgehauen. Die Stämme erhielten die Köhler, die daraus eine bessere und festere Holzkohle gewannen als aus den Hochwaldgehölzen. Außerdem war die Verarbeitung der armdicken Stangen mit der Einsparung eines Arbeitsganges verbunden: Das Spalten des Holzes vor der Errichtung des Meiler entfiel. Alles andere Holz, wie Äste und Zweige, wurde vorwiegend für den Hausbrand genutzt.
Im Spätsommer schritt man, nachdem zuvor der Boden bearbeitet worden war, zur Aussaat von Winterroggen oder Haidloff, der im folgenden Jahr mit der Sichel geerntet wurde, um die jungen Stockausschläge zu schonen. Das in den Haubergen angebaute Getreide sicherte einen beträchtlichen Teil der Gesamtgetreideversorgung des Siegerlandes, das wegen der schlechten Böden trotzdem auf Importe aus anderen Regionen angewiesen war. Außerdem wurde das Stroh bei der Viehhaltung verwendet. Nach der Wald- und Feldnutzung ruhte die Bewirtschaftung der Hauberge für mehrere Jahre, um die jungen Triebe vor dem Verbiß durch Weidetiere zu schützen. Erst danach diente der Haubergsschlag bis zum nächsten Abtrieb wieder für ca. 12 Jahre als Viehweide. Dadurch war es möglich, einen großen Rindviehbestand zu halten, der nicht nur für die Ernährung, sondern auch als Zugvieh für den Transport und als Häutelieferant der Gerbereien bedeutsam war.

Insgesamt stellte die Haubergswirtschaft im Wirtschaftsgefüge des Siegerlandes das zentrale Bindeglied infolge seiner Anpassung an Landwirtschaft und Gewerbe dar und gereichte beiden zum Vorteil. Das gewerbereiche Siegerland erfuhr durch sie nicht wie vergleichbar strukturierte Regionen eine dauerhafte Verwüstung der Waldbestände, aus der eine Erosion der Bodenoberflächen, die Verheidung und Auslaugung des Bodens resultierten.

Die Dauerhaftigkeit des Siegerländer Wirtschaftssystems selbst bis in die Zeiten der Industrialisierung hinein basierte im wesentlichen auf gesellschaftlichen Reglementierungen, denen sich die Mitglieder der Genossen- und Gewerkschaften unterwarfen, um das bereits im 16. Jahrhundert in seinen Grundzügen ausgebildete System zu bewahren. Es bot vor allem den Genossen und Gewerken den Vorteil eines auskömmlichen Lebens, alle anderen mußten im Laufe eines Jahres verschiedene Berufe ergreifen, um ihre Existenzen und die ihrer Familien zu sichern. An den einmal eingefahrenen Strukturen wurde noch im 19. Jahrhundert festgehalten, als Genossen und Gewerken sich für mehrere Jahrzehnte dem aufkommenden Anpassungsdruck der Industrialisierung widersetzten.

Literatur:

J. Arnoldi, Geschichte der Oranien Nassauischen Länder und ihrer Regenten. Nachdr. der Ausgabe Hadamar 1799–1819 (1985–1988) – J. P. Becher, Mineralogische Beschreibung der Oranien-Nassauischen Lande nebst einer Geschichte des Siegenschen Hütten- und Hammerwesens. Nachdr. d. Ausg. Marburg 1789 (1976) – C. Dahm, Die Bergbausiedlung Altenberg. Entdeckung und Erforschung der mittelalterlichen Wüstung auf dem »Almerich«. In: Ich gab dir mein Eisen wohl tausend Jahr... Beiträge zur Geschichte speziell zur Wirtschafts- und Kulturgeschichte des Bergbezirks Müsen und des nördlichen Siegerlands. Zur 900-Jahr-Feier zusammengetragen und bearb. v. W. Müller-Müsen, hrsg. v. Kulturverein Müsen (1979) 89–97 – K. E. Demandt, Geschichte des Landes Hessen. Revidierter Nachdr. der zweiten, neubearb. u. erweit. Aufl. 1972 (1980) – J. D. Engels, Die Landeskrone am Ratzenscheid; ein Beytrag zur nassauischen Bergwerksgeschichte (1803) – F. A. A. Eversmann, Übersicht der Eisen- und Stahlerzeugung auf Wasserwerken in den Ländern zwischen Lahn und Lippe. Nachdr. d. Ausg. Dortmund 1804 (1982) – H. D. Gleichmann, Die ältere Eisenerzverhüttung im Siegerland. Bergbau 39, 1988, 66–74 – R.-J. Gleitsmann, Die Haubergswirtschaft des Siegerlandes als Beispiel für ressourcenschonende Kreislaufwirtschaft. In: Scripta Mercaturae 16.1, 1982, 21–54 – G. W. Göbel, Bevölkerung und Ökonomie. Historisch-demographische Untersuchung des Kirchspiels Siegen in der Nassau-Oranischen Zeit 1742–1806 (1988) – W. Güthling (Hg.), Geschichte der Stadt Siegen im Abriß (1955) – Ders., Die schriftliche Überlieferung des Siegerlandes aus der Zeit vor 1200. Siegerland 38, 1961, 1–6 – Hauberg und Eisen. Landwirtschaft und Industrie im Siegerland um 1900. Texte von W. Ranke u. G. Korf, Photographien von P. Weller u. a. (1980) – F.-W. Henning, Wirtschaftsgeschichte des Hilchenbacher Raumes. Die Entfaltung der Wirtschaft im nördlichen Siegerland seit dem Mittelalter (1987) – T. Irle, Landesherr und Gewerbe im Siegerland des 16. Jahrhunderts (1964) – J. H. Jung, Beschreibung der Nassau-Siegenschen Methode Kohlen zu brennen (1958) – Ders., Geschichte des Nassau-Siegenschen Stahl- und Eisengewerbes (1959) – H. Kellenbenz, J. H. Schawacht, Schicksal eines Eisenlandes, hrsg. v. d. Industrie- und Handelskammer Siegen (1974) – C. Kneppe, Die kirchliche Organisation des Siegerlandes zur Zeit der Gründung Keppels. In: 750 Jahre Stift Keppel 1239–1989 (1992) 7–23 u. 78–85 – O. Krasa, Die mittelalterliche Eisenverhüttung des Siegerlandes. Siegerland 35, 1958, 4–10 – H. Kruse, Das Siegerland unter preußischer Herrschaft 1815–1915 (1915) – Ders., Forstwirtschaft und Industrie im ehemaligen Fürstentum Nassau-Siegen. In: Beiträge zur Wirtschaftsgeschichte des Siegerlandes, hrsg. u. eingel. v. F. Philippi (1909) 65–176 – J. Lorsbach, Hauberge und Hauberggenossenschaften des Siegerlandes (1956) – B. D. Plaum, Die Stadt Siegen – Verwaltung, Wirtschaft, Glauben. In: Siegen, hrsg. von P. Steinebach (1991), 5–15 – J. Radkau, I. Schäfer, Holz. Ein Naturstoff in der Technikgeschichte (1987) – J. H. Schawacht, Der Berg gab Eisen uns und Brot. Siegerländer Bergbau – Blütezeit und Ende. In: Aus Eisen ist der Berge Mark ... Siegerländer Mineralien, hrsg. von der Stadt Siegen, Siegerlandmuseum (1992) – Ders., Schicksal eines Eisenlandes – Industrie und Wirtschaft im Wandel der Jahrhunderte. In: Siegerland. Region im Wandel – Eine Bestandsaufnahme, hrsg. v. I. Broer, G. Hufnagel u. E. Winterhager (o. J.) 23–34 – Ders., Die Siegerländer Haubergswirtschaft (1991) – K. F. Schenck, Statistik des vormaligen Fürstenthums Siegen (1820) – H. Schubert, Geschichte der nassauischen Eisenindustrie von Anfängen bis zur Zeit des Dreissigjährigen Krieges (1937) – R. Sprandel, Das Eisengewerbe im Mittelalter (1968) – L. Suhling, Aufschließen, Gewinnen und Fördern. Geschichte des Bergbaus (1983) – G. Weisgerber, In Pingen und Schächten des 13. Jahrhunderts. Die Erforschung des hochmittelalterlichen Bergbaus auf dem Altenberg bei Müsen. In: Ich gab dir mein Eisen wohl tausend Jahr... Beiträge zur Geschichte speziell zur Wirtschafts- und Kulturgeschichte des Bergbezirks Müsen und des nördlichen Siegerlands. Zur 900-Jahr-Feier zusammengetragen und bearb. v. W. Müller-Müsen, hrsg. v. Kulturverein Müsen (1979) 98–102.

Bernd D. Plaum

Die Siegener Landhecke

Landhecke oder -festung, bisweilen auch als kölnische Hecke wird jene Wall-Graben-Anlage bezeichnet, die seit dem ausgehenden Mittelalter bis etwa in die Mitte des 17. Jahrhunderts das nassauische Amt Siegen wohl vollständig von allen Seiten umschlossen und geschützt hat. Über ihren Verlauf, der im nördlichen Abschnitt streckenweise lückenlos belegt ist, unterrichten die erhaltenen Reste der umfangreichen Anlage ebenso wie historisches Kartenmaterial, ausgehend von der partiellen Landesaufnahme des E. P. Ploennies zwischen 1717 und 1726. Ehemals Orientierungslinie bei den Grenzziehungen zwischen Köln und Nassau 1563 und 1688, markiert die Landhecke noch heute in einigen Bereichen die gültige Grenze des Altkreises Siegen. Ihre ursprüngliche Zweckbestimmung trug jedoch in erster Linie der Sicherung des Siegerlandes vor feindlichen Übergriffen jeder Art Rechnung, daneben spielten fiskalische Aspekte, die Koppelung gräflicher Zollstellen mit den Durchlässen, eine nicht unwesentliche Rolle. In beiden Fällen war die Kontrolle der in und durch das Siegerland führenden Verkehrswege von entscheidender Bedeutung. Gewährleistet wurde sie an den Durchgängen der Landhecke, den mit Schlagbäumen verschlossenen sog. Schlägen von Wagenbreite, während die mit verflochtenem Unterholz, dem Gebück, bestandene Wall-Graben-Anlage, teilweise zwei und mehr hintereinander gestaffelte Wälle umfassend, ein Umgehen oder -fahren der vorgesehenen Wegetrassen wirksam verhinderte.

Die Sicherung der Schläge richtete sich nach der Bedeutung der passierenden Landstraße, wobei zahlreiche ältere Trassen, oftmals tief eingegraben ins Gelände und sog. Hohlwege bildend, nicht berücksichtigt, sondern von der Landhecke abgeschnitten wurden. In Einzelfällen wurden sie als Bestandteil des dem Wall vorgelagerten Grabens sekundärer Nutzung zugeführt. Nur eine befahrene

Wegspur ermöglichte den Zugang durch die Hecke, um die Arbeit des Zolleinnehmers wie auch die Aufgabe der im Kriegsfall aufgebotenen Verteidiger zu vereinfachen. Schläge von großer Wichtigkeit schützten die Ausgänge der Straßen Siegen-Köln (Dicker Schlag bei Hohenhain, vgl. S. 121), nach Olpe und weiter zum Niederrhein (Krombacher Schlag), nach Arnsberg und Soest (Schläge bei Rohrbach sowie bei Welschen Ennest, vgl. S. 142) und den »Kriegerweg« als alte Verbindung nach Meschede über Hilchenbach (Schlag am Kriegerweg). Die Verbindung nach Osten in die Grafschaft Wittgenstein stellten die Schläge bei Sohlbach, Walpersdorf und der Ilmquelle sowie der Hohenrother Schlag dar, eine Querverbindung zwischen Köln und Wittgenstein über Erndtebrück überschritt die nassauische Grenze bei der Ginsburg. Die direkte Zuwegung nach Marburg führte vom Marburger Tor in Siegen über Burg Hainchen zum Schlag an der Hessenstraße; später erhielt die vor Wilnsdorf abzweigende Straße nach Haiger, Dillenburg und Frankfurt auch für den Verkehr nach Marburg größere Bedeutung. Die Mainzer Landstraße schließlich als Verbindung nach Limburg und Mainz hatte zwei Durchgänge bei Wilnsdorf. Prinzipiell ist die Befolgung der Regel zu beobachten, daß Verkehrswege, die das Siegerland nur berührten, außerhalb der Landhecke belassen und an ihr entlanggeführt wurden. Auf diese Weise wurden Durchzüge fremder Truppenkontingente und die damit für die Bevölkerung verbundenen Gefahren weitgehend ausgeschlossen.
Die Wehrhaftigkeit der Durchlässe auf der Nordseite der Landhekke vermittelt den auch anderweitig zu stützenden Eindruck, daß eine Bedrohung des Amtes Siegen im wesentlichen von dem im Norden und Westen angrenzenden kurkölnischen Herzogtum Westfalen empfunden wurde. Die Grenze nach Süden mag weniger stark im Mittelpunkt des Interesses gestanden haben, waren doch die nassauischen Ämter Siegen und Dillenburg bis 1606 Bestandteile des noch ungeteilten Herrschaftsbereiches der Grafen von Nassau auf rechtsrheinischem Gebiet. Vielleicht erklärt sich hieraus auch der schlechte Erhaltungszustand der Landhecke auf der Südseite, der eine weitgehende Verlaufsrekonstruktion notwendig

macht, wenn man nicht sogar nur die Befestigung einzelner Abschnitte in Erwägung ziehen will.
Nutzte man bei der Anlage der bis zu 2 m hohen Wälle soweit möglich die Vorteile des bergigen Geländes, so wurden die Schläge wesentlich aufwendiger nach militärischen Erfordernissen ausgestaltet. Die auf den Durchlaß zuführenden Wallenden waren in vielen Fällen eingebogen und begleiteten den Fahrweg beidseitig bis zum zurückliegenden Schlagbaum. Dies bot den Vorteil, die Überwachung der Straßenpassage auf längere Strecke vornehmen zu können und die Angriffsfläche möglichst gering zu halten. Zur ursprünglichen Konzeption der Landhecke gehörten ferner ovale Schanzen, die wichtige Schläge flankieren (Dicker Schlag, Bockenbacher Schlag), sowie rechteckige Lager, die sich im Blickfeld der Schläge meistenteils an die heranführenden Wegtrassen als Wallverschanzungen anlehnen (Lager am Holzklauer, Ohrendorfer Schlag, auf dem Schartenberg). In beiden Fällen war die Abwehr feindlicher Truppen bereits im Vorfeld des Schlagbaumes beabsichtigt.
Mit Recht ist bei der Datierung der Landhecke in der vorbeschriebenen Konzeption geltend gemacht worden, daß ihre Anlage die unumschränkte Herrschaftsgewalt der Grafen von Nassau im Siegerland voraussetzte, also nicht vor 1421 denkbar ist. Vor dieser Zeit dürften Straßensperren in Form von Schlagbäumen die aus dem Siegerland kommenden Verkehrswege kontrollierbar gemacht haben, so beispielsweise der 1353 erwähnte »Alte Schlag« an der Grenze zu Wittgenstein. Durch archivalische Hinweise läßt sich weiterhin einsichtig machen, daß die Soester Fehde (1444–1449) den zeitlichen Rahmen und das ursächliche Ereignis für den Landheckenbau abgegeben hat. In dieser kriegerischen Auseinandersetzung, die sich zwischen Erzbischof Friedrich von Köln und Soest um den Anschluß der Stadt an das Herzogtum Kleve-Mark ergab, war das märkische Amt Bilstein ein Nebenschauplatz der Fehde unweit Siegens. Um Übergriffe auf ihren Herrschaftsbereich abzuwehren, trieben die Grafen Johann IV. und Heinrich II. den Bau der Landhecke intensiv voran, dies wohl nicht zuletzt auch aus Angst vor den 1447 gegen Soest herangeführten böhmischen Heerscha-

ren, deren Erscheinen in ganz Westfalen panisches Entsetzen und erhöhte Verteidigungsbereitschaft hervorrief.
Als Ausbauphase der Landwehr sind die Jahre nach 1568 anzusehen, als die Beteiligung Johanns des Älteren (1559–1606) am niederländischen Befreiungskampf eine Verstärkung der Landhecke gegen spanische Eroberungsbestrebungen angeraten sein ließ. Größere Bollwerke an den wichtigen Schlägen, Dreiecksschanzen mit und ohne Verbindung zu Hecke oder Schlägen trugen neuesten, in den Niederlanden nachweislich bereits bekannten militärischen Errungenschaften des Festungsbaus Rechnung, war doch die Beschießung des Gegners durch Artillerie von mehreren Seiten möglich unter Ausschluß toter Winkel. Johann der Mittlere (1606–1623) schließlich ließ 1607 die steinerne Warte am Krombacher Schlag anlegen, eine weitere Warte wohl ähnlicher Zeitstellung ist vielleicht bei Niederschelden anhand von Flurbezeichnungen festzumachen.
Nach dem Dreißigjährigen Krieg verlor die Landhecke zunehmend an Bedeutung, ihre aufwendige Instandsetzung wurde vernachlässigt, und ein Teil der Hecke war bereits um 1666 an die Einwohner von Hilchenbach verkauft. Weitere Teile verschwanden in der Folgezeit, nicht zuletzt bedingt durch Abtretung nach 1688 an Kurköln (Dornbruch, Rahrbacher Höhe). Den Restbestand der Hecke übernahm 1815 der preußische Staat.

Literatur:
L. Bald, Das Fürstentum Nassau-Siegen. Territorialgeschichte des Siegerlandes. Schriften des Instituts für geschichtliche Landeskunde von Hessen und Nassau 15 (1939) – G. Siebel, Die Nassau-Siegener Landhecken. Siegerländer Beiträge zur Geschichte und Landeskunde 12 (1963).

Cornelia Kneppe

Geschichte der Stadt Siegen

Die frühesten aussagekräftigen Nachrichten über die auf dem Rükken des Siegberges gelegene und in zahlreichen Bildquellen seit dem frühen 17. Jahrhundert dargestellte Stadt Siegen (Abb. 25) vermittelt eine im Original erhaltene Urkunde von 1224. Diese beinhaltet die Teilung der Herrschaftsrechte »opidi Sige de novo constructi« sowie die der Einnahmen aus Münze und Zoll zwischen Erzbischof Engelbert von Köln und Graf Heinrich von Nassau. Lassen sich die Rechte des Nassauers unschwer auf zu erschließende ältere Besitzrechte sowie den Vollzug der Stadtgründung zurückführen, so dürfte die Mitbeteiligung des Kölner Erzbischofs seinen politischen und wirtschaftlichen Interessen entsprochen und den zu diesem Zeitpunkt im Siegerland bestehenden Machtverhältnissen Rechnung getragen haben. Die Doppeldeutigkeit der Formulierung »de novo«, zu verstehen als kürzlich oder erneut, wird noch in neueren Veröffentlichungen kontrovers diskutiert, dürfte aber dahingehend auszulegen sein, daß neben eine ältere, unbefestigte Kirchsiedlung von unbestritten größerer Bedeutung kurz vor 1224 eine Stadt in verfassungsrechtlichem Sinne und an strategisch günstigerer Stelle trat. Schriftliche Hinweise auf die vorstädtische Siedlung sind zwar spärlich, jedoch unterschiedlichen und voneinander unabhängigen Schrift- und Sachquellen zu entnehmen. Darunter fallen die Nennung des Ortes Siegen in einer Schenkung an die Abtei Deutz 1079/89, die um 1170 in der »civitas« Siegen nachweisbare Münzprägung des Grafen Rupert III. (ca. 1160–1190) sowie die Berichte von Wunderheilungen, die der hl. Anno nach Aufzeichnungen des 12. Jahrhunderts an drei Gläubigen aus Siegen vollbracht haben soll. Die im 13. Jahrhundert vollendete Vita Merlini schließlich vermerkt Siegen als Wirkensstätte des berühmten Goldschmiedes Wieland und verweist damit einmal mehr auf die reichen Edelmetall- und Eisenerzvorkommen, die seit der Latène-

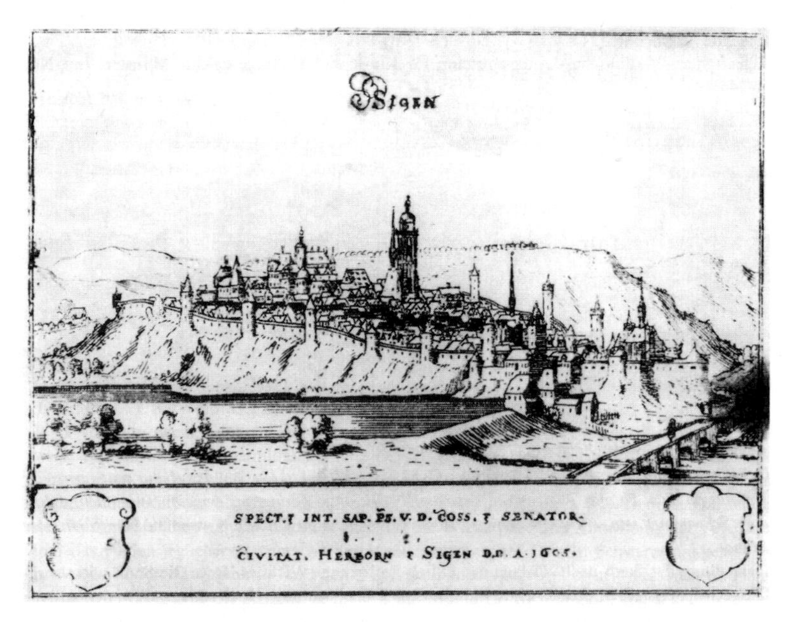

Abb. 25 Siegen. Nordwestansicht der Stadt. Nach einem Stich von Dillich um 1600.

zeit, dann wieder seit dem frühen Mittelalter im nahen Umkreis von Siegen, aber auch im Stadtbereich selbst abgebaut wurden.
Als Mittelpunkt der älteren Siedlung hat die Pfarrkirche St. Martini zu gelten, deren mutmaßliche Gründung schon im ausgehenden 8. Jahrhundert auf die Initiative der Erzbischöfe von Mainz zurückzuführen ist. Bauhistorische sowie archäologische Untersuchungen insbesondere der Nachkriegszeit haben zwar keinen Aufschluß über das mutmaßliche älteste Kirchengebäude an dieser Stelle erbracht, dafür aber konkrete Hinweise auf die Existenz einer fünftürmigen Basilika des 12. Jahrhunderts als Vorgänger der bestehenden, wohl erst 1511–1517 zur Halle ausgestalteten Kirche ergeben. Ein älterer Mosaikfußboden aus der Zeit um 1100 wird einer älteren Burgkapelle zugeschrieben, ohne daß allerdings das Vorhandensein einer Burg auf dem unteren Teil des Siegberges nachzuweisen wäre. So muß offenbleiben, ob in karolingischer Zeit zum

Schutz der Siegfurt und zweier sich hier kreuzender übergeordneter Fernverkehrsverbindungen zuerst eine Burg angelegt wurde oder ob von jeher die Martinikirche mit umliegender Furtsiedlung den Mittelpunkt des vorstädtischen Siegen bildete. Das sicherlich schon im 11./12. Jahrhundert gewerblich geprägte Dorf hat sich vielleicht östlich des ehemals noch ausgedehnteren Martinikirchhofes erstreckt und somit einen Teil des Unteren Schlosses umfaßt. Sicher ist die »Aldestatt« (Abb. 26) hinunter zur Siegbrücke wie auch zwischen Weiß und westlicher Stadtbefestigung im Bereich der Straßenzüge Obergraben und Häutebachweg belegt, ein Ausgreifen über die Weiß hinaus ist trotz hochmittelalterlicher Siedlungsbefunde zwischen Oranien- und heutiger Spandauer Straße äußerst fraglich. Keinesfalls läßt sich das 1288 zuerst erwähnte und im 15. Jahrhundert bereits ruinöse Weißnonnenkloster bei der Kirche St. Johann mit der »Aldestatt« in Verbindung bringen, bildete es doch einen Bestandteil des im Spätmittelalter wüst gefallenen Ortes Leimpe nahe des Einflusses der Leimbach in die Sieg.
Übereinstimmend werden die Angaben der Urkunde von 1224 auf die kurz zuvor initiierte Stadtgründung auf dem Siegberg bezogen, deren planmäßige Anlage anfänglich den Bereich zwischen Burg und Kohlbettstraße umfaßt hat. Im Verlauf des 13. Jahrhunderts ausgestellte Urkunden markieren die zügige Ausbildung der städtischen Gerichts- und Verwaltungsorgane. Die drei namentlich genannten Schöffen, die 1239 eine gräfliche Urkunde bezeugten, gehörten dem zwölfköpfigen Schöffenkolleg an, das die vom Landgericht wohl seit der Stadtgründung getrennte städtische Gerichtsbarkeit ausübte. Den bürgerlichen Schöffen, zunehmend mit Verwaltungsaufgaben betraut, stand der 1253 und 1270 erwähnte landesherrliche Richter oder Schultheiß vor. Das andere für die städtische Verwaltung bedeutsame Gremium, der Rat, tritt bereits 1248 als Aussteller einer städtische Belange tangierenden Urkunde hervor, die den ersten Beleg für einen Bürgermeister sowie die Verwendung eines städtischen Siegels bietet. Für die Ausformung der städtischen Verfassung sowie die Begründung städtischer Steuerautonomie sind zwei von Erzbischof Wigbold von Köln und Graf Heinrich von Nassau 1303 ausgestellte Urkunden von großer

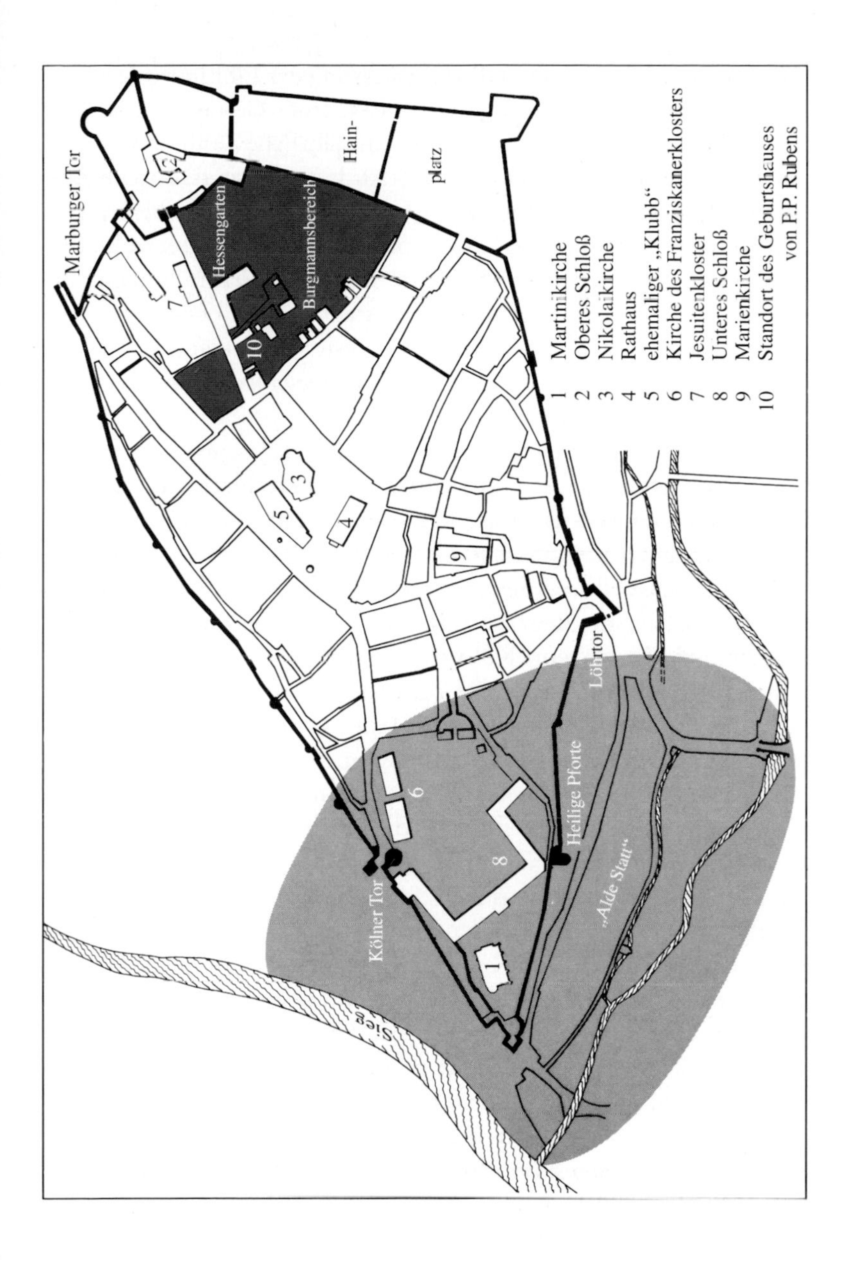

Abb. 26 Siegen. Altstadt auf der Grundlage des Urkatasters von 1842.

Wichtigkeit. Sie beinhalten die Überlassung der Einkünfte aus dem Kaufhaus sowie der des sog. Ungeldes, einer Getränke- und Lebensmittelsteuer, an die Stadt gegen eine jährliche Zahlung von 100 Mark. In der Folgezeit leitete die Stadt hieraus das städtische Besteuerungsrecht ab bei gleichzeitiger Freistellung von höheren Abgaben an die Stadtherren. Auf kölnischen Einfluß verweist die Verleihung des Soester Stadtrechts, dem rege Verbindungen zur damals größten westfälischen Hansestadt folgten. Die Orientierung des Siegener Magistrats an den Soester Rechtssätzen ist bis in die Zeit um 1500 belegt und hat ihren Niederschlag in einer Sammlung von Rechtsbelehrungen gefunden.
Die Selbständigkeit Siegens, nicht zuletzt auf günstiger wirtschaftlicher Entwicklung basierend, wurde gefördert durch die jahrhundertelange kölnisch-nassauische Doppelherrschaft, die eine Residenzbildung der nassauischen Grafen vorerst verhinderte. Besonders eindrucksvoll sind die konkreten Auswirkungen der geteilten Stadtherrschaft aus dem Vertrag von 1343 ablesbar, stand doch Erzbischof Walram von Köln die ausschließliche Benutzung der Burggebäude auf der Siegseite zu, den Grafen Heinrich und Otto aber die zur Weiß hin gelegenen Teile. Gemeinsam nutzten die Parteien beide Tore zur Burg, den Turm sowie den Innenhof mit Brunnen. Dieser Teilungsvertrag steht am Anfang einer kurzen Zeitspanne kölnischer Dominanz, die spätestens 1381 mit der Einsetzung Johanns von Nassau als Amtmann auch der kölnischen Hälfte beendet war. Zwischen 1409 und 1421 setzten sich die Grafen als alleinige Stadtherren durch, wohl im Verzicht auf Erbansprüche auf die 1371 an Köln gefallene Grafschaft Arnsberg.
Konnte sich die Stadt Siegen zwar 1346 mit kaiserlicher Hilfe gegen die von Köln und Nassau betriebene Verpfändungspolitik der jeweiligen Stadtanteile selbstbewußt zur Wehr setzen, so gelang es ihr doch nach 1421 nicht, eine stärkere Einflußnahme der Nassauer in die städtischen Verhältnisse zu verhindern. Mit der 1476 erfolgten Einrichtung einer Berufungsinstanz für das Schöffengericht, das nach 1500 selbst diese Funktion übernahm, wurde von gräflicher Seite aus die langjährige Bindung zum kölnischen Soest abgebrochen, wie auch die 1303 auf 100 Mark beschränkte Steuerpflicht

der Stadt 1537/38 wesentliche Einschränkungen erfuhr. Zu sehr verführte die angespannte gräfliche Finanzlage zu Forderungen gegenüber der Stadt, deren stetig voranschreitende Entwicklung, dokumentiert in Urkunden von 1276 und 1303, von Anfang an auf Leder- und Eisengewinnung bzw. -verarbeitung beruhte. Ein »Lutzo dictus Stalsmit« erscheint 1289 unter den bürgerlichen Zeugen, Stahlhandel nach England ist im 14. Jahrhundert bezeugt, im 15. Jahrhundert über Frankfurt nach Süddeutschland und gewiß schon seit längerer Zeit nach Soest. Die Existenz dreier Lohmühlen wohl schon im 13. Jahrhundert belegt die frühe Lederherstellung. Schuhmacher- und Stahlschmiedezunft, dem religiös-bruderschaftlichen Gedanken verpflichtet, bestanden schon einige Zeit, bevor sie zu Beginn des 16. Jahrhunderts landesherrliche Zunftbriefe erhielten.

Die städtische Topographie (Abb. 26) orientierte sich maßgeblich am Fernverkehrsweg Köln-Marburg, der im Zuge von Kölner und Marburger Straße über den Stadtberg geführt wurde und bis heute die Hauptachse der Stadt darstellt. An ihrem höchsten Punkt im Norden lag die 1224 sicher schon vorhandene, wenngleich nicht explizit erwähnte Burg, deren Baugeschichte für die Frühzeit als ungeklärt gelten muß. Teile der ältesten Anlage dürften im heutigen Museumsgebäude erhalten sein und wurden mit Sicherheit 1989/90 auf der Südwestseite des Innenhofes archäologisch erfaßt in Form von Fundamenten eines Bergfriedes sowie eines westlich daran anschließenden Gebäudes (Abb. 26,2). Der Ausbau der ursprünglich durch einen Trockengraben geschützten Kernanlage seit dem Spätmittelalter, die Einfügung von Batterien 1683 in die stadtseitige Mauer sind auf eine Weiterentwicklung der Angriffswaffen ebenso zurückzuführen wie auf die komplizierten innerstädtischen Machtverhältnisse im 17./18. Jahrhundert. Zwischen Burg und Bürgersiedlung lagen die abgabefreien Grundstücke der Burgmannsgeschlechter, so an der Burgstraße das Anwesen derer von Hatzfeld/Brambach, jüngst schlüssig als Geburtshaus des Malers Peter Paul Rubens im Jahr 1577 nachgewiesen (Abb. 26,10).

Zur Köln-Marburger Straße ausgerichtet waren auch die öffentlichen Gebäude der Stadt, das 1313 zuerst erwähnte Kaufhaus mit dem Markt sowie die nördlich davon gelegene Stadtkirche St. Nikolai (Abb. 26,3), ein sechsseitiger Zentralbau mit dreischiffigem Chor und Westturm aus dem zweiten Viertel des 13. Jahrhunderts. Diesem wurde im Zuge von Umbaumaßnahmen 1658 das sog. Krönchen, Wahrzeichen der Stadt, als Turmzier aufgesetzt. Zum Kaufhaus, dem Standort der Metzgerbänke sowie frühesten Verwaltungsmittelpunkt, trat bis 1455 das Rathaus (Abb. 26,4), dessen Räume Festlichkeiten und Versammlungen dienten. 1583–1588 wurden beide Institutionen in einem Neubau zusammengefaßt. Kurz vor 1788 maßgeblich erneuert und 1912–1916 erweitert, hat auch das Rathaus den Zweiten Weltkrieg nicht überstanden.

Bereits seit dem frühen 15. Jahrhundert sind Straßenverzeichnisse überliefert, die die Konzentration bestimmter Gewerbe in verschiedenen Straßen anzeigen. Dies galt besonders für die mit offenem Feuer hantierenden Schmiede, die Metzger sowie die Lohgerber mit erhöhtem Wasserbedarf, deren Bevorzugung mauernaher Bereiche im Südostteil der Stadt auch aus anderen Quellen zu stützen ist. Mit der Einbeziehung der Martinikirche (Abb. 26,1) in die städtische Befestigung, die zuvor nördlich des Kirchhofes über eine relativ spät aufgesiedelte Senke, den Pfuhl, verlaufen war, wurde wohl strategischen Gründen Rechnung getragen, wie auch der Abbruchbefehl von Häusern außerhalb der Stadtmauer im Jahre 1527 verdeutlicht. Reste der mit Türmen ausgestatteten Stadtmauer haben sich in Form von Stützmauern und rückwärtiger Wohnbebauung zwischen Siegberg- und Hinterstraße erhalten, am eindruckvollsten um die Martinikirche. Dagegen existieren keine Spuren mehr von den drei Anlagen des Kölner, Marburger und Wetzlarer (oder Löhr-) Tores, von denen Kölner und Marburger Tor im Zuge des Hauptverkehrsstranges mehrfach gesichert waren. Bei der bastionären Ausgestaltung der Tore im 16./17. Jahrhundert wurden die Gebäude des am Kölner Tor gelegenen Heilig-Geist-Spitales in die Befestigung einbezogen. Erlaubte die Berglage nicht die Erstellung und Unterhaltung wasserführender Gräben, so stellten doch Sieg und Weiß sowie der von der Sieg abgeleitete, um 1880 verfüllte Mühlenweiher zusammen mit der städtischen

Landwehr zusätzliche Annäherungshindernisse dar. Mit der kurz nach 1500 erfolgten Erweiterung der befestigten Stadtfläche sowie der 1605 vorgenommenen Ummauerung des Hainplatzes hatte Siegen seine bis weit in das 19. Jahrhundert hinein gültige Ausdehnung erhalten.
Die Entwicklung der Stadt im 16./17. Jahrhundert war maßgeblich von den Aktivitäten des Grafenhauses geprägt, dessen politisches und militärisches Engagement in den nördlichen Niederlanden, vorbereitet durch ältere verwandtschaftliche Bindungen, nicht zuletzt auch auf der finanziellen Unterstützung von Stadt und Land Siegen beruhte. Hatte sich bereits Graf Wilhelm der Reiche (1516–1559) nach 1530 zur Lehre Martin Luthers bekannt und 1531 mit der Einsetzung Leonhard Wagners als erstem lutherischen Pfarrer sowie Ausweisung des Franziskanerkonventes 1534 deutliche Zeichen gesetzt, so ergab sich aus der Beteiligung Johanns des Älteren in den Niederländischen Befreiungskriegen (1568–1648) eine stärkere Orientierung an die dort vorherrschende reformierte Glaubensrichtung, die Ende der siebziger Jahre die lutherische Lehre in Siegen nahezu vollständig verdrängte. Im Zuge dieser Entwicklung beanspruchte das Grafenhaus das bis dahin dem Mainzer Offizial in Amöneburg zustehende Besetzungsrecht der Pfarre St. Martini, wie auch die im Rang einer Kapelle stehende Nikolaikirche zur eigenständigen Pfarre aufstieg. Für Siegen noch bedeutungsvoller war die Teilung des gräflichen Erbes nach dem Tode Johanns des Älteren (1559–1606), dessen fünf Söhne mit Teilen des nassauischen Besitzkonglomerates ausgestattet wurden. Johann der Mittlere († 1623) erhielt das Siegerland und nahm als erster seines Geschlechtes regelmäßige Residenz auf der Burg Siegen, die zu dieser Zeit erneuert wurde. Eine weitere Teilung des Siegerlandes erschien unumgänglich, als der vorgesehene Alleinerbe Johann der Jüngere sich dem Katholizismus zuwandte und die Wahrung der calvinistischen Religion es seinem Vater angeraten sein ließ, das Siegerland unter seinen beiden Söhnen aus erster sowie den Kindern aus zweiter Ehe zu dritteln, dies unter Aussparung der Stadt Siegen, deren Abgaben dem gemeinsamen Schultheiß zugeführt wurden. Die nach 1623 ausbrechenden Erbstreitig-

keiten, die zeitweilig zur Dominanz der katholischen Linie führten, hatten für Siegen nicht nur negative Auswirkungen, gelang es doch durch den wirksamen Einfluß der katholischen wie evangelischen Erbträger aus dem Grafenhaus, Stadt und Land vor Übergriffen der kriegführenden Parteien im Dreißigjährigen Krieg zu schützen. Die testamentarisch festgeschriebene Hofhaltung der seit 1642, endgültig 1679 vereinigten evangelischen Linien in Siegen machte es notwendig, den als Witwensitz genutzten Nassauer Hof am Kölner Tor repräsentativ zu gestalten. Es handelte sich bei dieser Besitzung um die 1534 verlassenen Gebäude des Franziskanerklosters (Abb. 26,6), einer Gründung Johanns V. (1475–1516), der in der Kirchenkrypta bestattet worden war. Vorübergehend hatte man in den Jahren 1594–1599 und 1605–1609 die Hohe Schule von Herborn in die nun gräflichen Gebäude ausgelagert. Wenngleich nicht feststeht, daß der Ausbau des Nassauer Hofes von Johann Moritz, dem ältesten Sohn Johanns des Mittleren aus zweiter Ehe, geplant wurde, so geht doch die Anlage der Fürstengruft 1668/69 am Martinikirchhof auf ihn zurück. Dieser Bauteil mit der Grablege des Johann Moritz überstand die große Brandkatastrophe von 1695, die u. a. zur Einäscherung des alten Klosters sowie der umliegenden Gebäude führte, und wurde Ausgangspunkt und wesentlicher Bestandteil der bis 1722 neu errichteten repräsentativen Dreiflügelanlage des Unteren Schlosses (Abb. 26,8) mit dem Dikken Turm in Nachfolge eines mittelalterlichen Stadtturmes. Als Ausgleich für das zum Schloßbau gezogene Klosterareal erhielt die katholische Gemeinde ein zwischen 1702–1725 erbautes neues Gotteshaus an der Löhrstraße, die noch erhaltene Marienkirche (Abb. 26,9). Der Residenz der evangelischen Linie stand die Burg, das sog. Obere Schloß, gegenüber, auf deren Wirtschaftshof 1643 die Jesuiten ihre endgültige Heimstätte erhielten (Abb. 26,7).
Gerade gegen Ende des 17. Jahrhunderts sahen sich die Bürger Siegens den teilweise gewalttätigen Auseinandersetzungen der konkurrierenden Stadtherren ausgesetzt. Die Übernahme der Herrschaftsanteile durch Karl Wilhelm Friso von Nassau-Diez 1734 bzw. 1742/43 machte diesem Dualismus ein Ende, allerdings fungierte Siegen bis 1806 nurmehr als Sitz des der Regierung in

Dillenburg unterstellten Amtes Siegen. Zwischen 1806 und 1813 dem Großherzogtum Berg zugeteilt, dann nach kurzer Herrschaft der Oranier an Preußen vertauscht, wurden Siegen und das Siegerland 1817 Bestandteil der Provinz Westfalen mit Verwaltungssitz in Arnsberg.
Siegen, auch im 19. Jahrhundert ein reges Industrie- und Handelszentrum mit Eisenbahnanschluß seit 1861, hat tiefgreifende Verluste in seiner Bausubstanz hinnehmen müssen. Vernichtete ein Brand 1869 den sog. Klubb (Abb. 26,5), eine schmale Häusergruppe nördlich der Nicolaikirche, so wurde nahezu die gesamte Oberstadt am 16.12.1944 durch einen Luftangriff zerstört. Leider wurde der Wiederaufbau vor allem der Unterstadt längs der Koblenzer Straße nicht unter dem Aspekt weitgehender Erhaltung noch vorhandener Bausubstanz ins Werk gesetzt, sondern trug vorrangig den Erfordernissen eines wachsenden Straßenverkehrs Rechnung.

Literatur:
H. von Achenbach, Geschichte der Stadt Siegen. Neudruck der Ausgabe von 1894 (1983) – W. Güthling, Geschichte der Stadt Siegen im Abriß (1955) – Siegen und das Siegerland 1224/1924. Festschrift aus Anlaß der Siebenhundertjahrfeier von Burg und Stadt Siegen, hrsg. von H. Kruse (1924).

Cornelia Kneppe

Siegerlandmuseum im Oberen Schloß zu Siegen

Regionalmuseum für Kunst und Kulturgeschichte

Das Siegerlandmuseum befindet sich seit 1905 im heute sog. Oberen Schloß zu Siegen (Abb. 27), einer schon 1259 beurkundeten Höhenburg der Grafen von Nassau, deren Geschlecht seinen Ursprung in Siegen hat. Das 1938 ca. 8 m unter dem Schloßhof angelegte Schaubergwerk erinnert an den 1962/65 aufgegebenen Siegerländer Erzbergbau, ebenso die 1969 vom Bergschulverein übernommene Mineraliensammlung.
Die ältesten geschichtlichen Zeugen hiesiger Gegend sind Bodenfunde aus der Steinzeit (7000 v. Chr.). Dauerhaft besiedelt wurde der Raum aber wohl erst in der Vorrömischen Eisenzeit (ab 650 v. Chr.), wohl wegen der oberflächennahen Eisenerze. In Windöfen (ein Original aus der Zeit um 100 v. Chr. ist zentrales Schaustück der vor- und frühgeschichtlichen Museumssammlungen) und Gebläseöfen wurde Eisen gewonnen. Eisenproduktion ist auch wieder für das Mittelalter (ab 800 n. Chr.) nachweisbar. Wohl seit dem 14. Jahrhundert nutzte man zur Winderzeugung in den Öfen wasserradgetriebene Blasebälge. Es entstanden Hüttenwerke an den Wasserläufen (zur Erzeugung von Roheisen bzw. Gußeisen), die durch Hammerwerke (für die Weiterverarbeitung des Roheisens zu Schmiedeeisen) ergänzt wurden.
Zweite vorindustrielle Energieart neben der Wasserkraft war die Holzkohle. Im Siegerland betrieb man zu ihrer Gewinnung die sog. Haubergswirtschaft (vgl. S. 83). Die Hinterlassenschaft der frühen Siedler der Region (Eisen, Keramik) sowie Gegenstände der Siegerländer Haubergswirtschaft und der vorindustriellen, hauptsächlich vom Eisen geprägten Gewerbegeschichte sind im Untergeschoß des Museums zu besichtigen.
Eine umfangreiche Sammlung von Ofen- und Kaminplatten vom 16.–19. Jahrhundert gehört ebenfalls zum Museumsbestand.
Die Geschichte der seit dem 13. Jahrhundert (vgl. S. 69) zwischen Sieg und Lahn regierenden Linie des Hauses Nassau ist in

Abb. 27 Siegen. Siegerlandmuseum im Oberen Schloß.

ihrer jüngsten Phase durch die Bildnissammlung von Mitgliedern des Hauses Nassau-Oranien (ältere Linie) und des Hauses Nassau-Siegen (17.–18. Jahrhundert) dokumentiert.
Siegen ist Geburtsstadt des einflußreichen flämischen Barockmalers Peter Paul Rubens, der am 29. Juni 1577 geboren wurde. Die Familie hatte ihre Heimatstadt Antwerpen ihres kalvinistischen Glaubens wegen verlassen müssen; in Köln wurde Vater Jan Rubens als Rechtsanwalt Berater Annas von Sachsen. Die nicht nur geschäftlichen Beziehungen führten zu kurzfristiger Einkerkerung wegen Ehebruchs in Siegen.
Im Rubenssaal des Siegerlandmuseums sind acht eigenhändige bzw. aus seiner Werkstatt stammende Arbeiten zu sehen. In direkter Nachbarschaft hängen Arbeiten der Rubenspreisträger Hans Hartung (1958), Giorgio Morandi (1962), Francis Bacon (1967), Antoni Tàpies (1972), Fritz Winter (1977), Emil Schuhmacher (1982), Cy Twombly (1987) und Rupprecht Geiger (1992).
Im Obergeschoß des Museums findet man zahlreiche Gegenstände zur Wohnkultur des 19. Jahrhunderts. Den Abschluß bildet die

Lebensdokumentation einiger über das Siegerland hinaus bekanntgewordener Persönlichkeiten.
Das Siegerlandmuseum im Oberen Schloß zu Siegen ist dienstags bis sonntags von 10.00–17.00 Uhr geöffnet.

Jürgen H. Schawacht

Objektbeschreibungen

Bad Berleburg

Die Burg von Aue

Etwa 1 km südöstlich von Aue, einem Ortsteil von Bad Berleburg, liegt auf einer steil zur Eder abfallenden Bergkuppe unweit des »Eisenweges« die Burg (599,55 m NN). Sie trägt eine kleine, länglich-ovale Wallanlage von 217 x 128 m Ausdehnung (Abb. 28). Am steilen Nordhang ist die Befestigung als Terrasse erkennbar, die heute als Wirtschaftsweg genutzt wird. Die sanfteren Süd- und Osthänge zeigen einen 2,5 m hohen Wall. Spuren eines vorgelagerten Spitzgrabens fehlen. Die Innenfront des Walles wird von einem breiten Materialentnahmegraben begleitet. Das Tor lag im Bereich des heutigen Zugangswegs. Im Jahre 1932 fanden durch die Altertumskommission für Westfalen Grabungen in der Toranlage, am Materialentnahmegraben und am Wall statt. Im Eingangsbereich konnte ein aus sechs Pfosten bestehender Torbau nachgewiesen werden. Die Untersuchungen am Materialentnahmegraben deckten zwei Hausgrundrisse von 6,5 bzw. 6,0 m Seitenlänge mit zentraler Herdstelle auf. Der offene Wallschnitt wurde 1985 noch einmal untersucht. Es zeigte sich, daß die Wallburg sicher mehr-, wahrscheinlich zweiperiodig ist. Die ältere Befestigung dürfte aus einem Holzwerk mit senkrechten Pfosten bestanden haben, die wohl durch Queranker verbunden waren. Dahinter lag ein kleiner Wall, an den sich nach innen ein Gräbchen anschloß. In einer jüngeren Phase wurden die zusammengestürzten Holz-Erde-Grabenreste von einem mächtigen Erdwall überdeckt, der ebenfalls eine Außenfrontversteifung unbekannter Konstruktion besessen haben muß. Der Fundstoff gehört der älteren Latènezeit an. Es handelt sich um Keramik, die z. T. »Braubacher Muster« imitiert, und verschiedene Eisengeräte.

Literatur:
P. R. Hömberg, H. Laumann, Burg bei Aue, Stadt Bad Berleburg, Kreis Siegen-Wittgenstein. Frühe Burgen in Westfalen 8 (1986) – A. Stieren, Vorgeschichtliche Bauten in Westfalen. Eisenzeitliche Hausreste in der Wallburg Aue. Westfalen 19 = Bodenaltertümer Westfalens 3, 1934, 104–105.

Hartmut Laumann

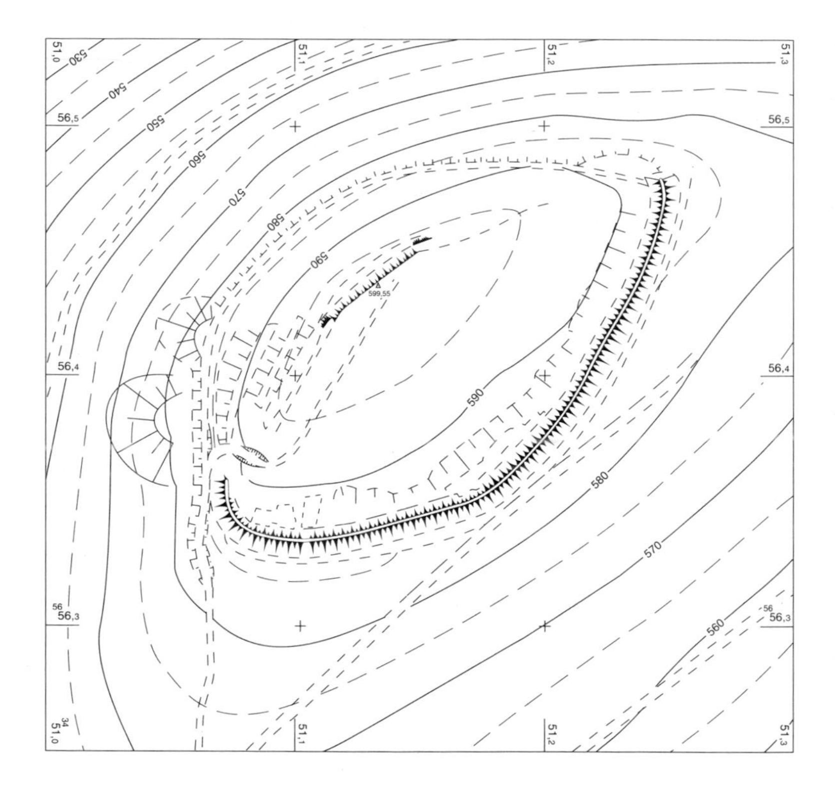

Abb. 28 Bad Berleburg-Aue. Grundriß der Burg. M. 1:3300.

Nördlich des Ortes liegt in einem Ederbogen auf einer isolierten Kuppe die »Burg« (551,4 m NN; Abb. 29). Die Befestigung besteht aus zwei Wall- bzw. Terrassenringen, von denen der innere 110 x 70 m groß ist, während der äußere einen Durchmesser von ca. 220 m aufweist. Das Innenwerk besteht aus einem Steinwall (Abb. 30), der stellenweise durch modernen Wegebau zerstört ist. Das Tor lag im Südwesten, wo eine kleine, sichelförmige Sperre dem Eingang vorgelagert ist. Der äußere Terrassenring ist heute überwiegend von einem Fahrweg überlagert. Da Ausgrabungen nicht stattgefunden haben und Funde fehlen, kann man die Burg

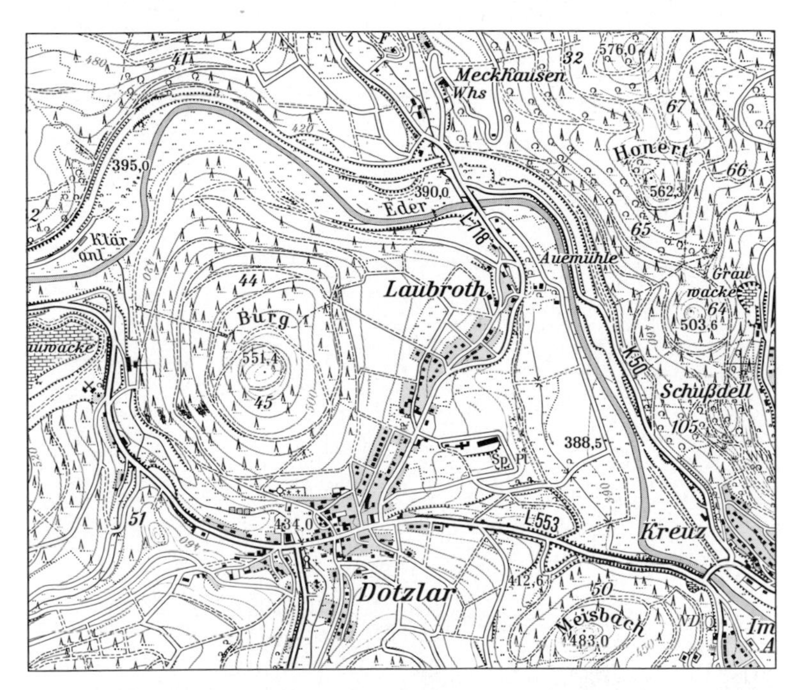

Abb. 29 Bad Berleburg-Dotzlar. Lage der Burg (Ausschnitt aus der TK 25 Blatt 4916 Bad Berleburg).

nur aufgrund vergleichender Überlegungen in die Vorrömische Eisenzeit datieren.

Hartmut Laumann

Abb. 30 Bad Berleburg-Dotzlar. Innenwall der Burg. Blick von Osten.

Der Ringwall bei Wemlighausen

Im Mündungswinkel zwischen Schwarzenau und Winterbach liegt etwa 3 km nordöstlich von Wemlighausen auf einer isolierten Kuppe die »Burg« (666,1 m NN; Abb. 31), die durch einen flachen Sattel mit dem geringfügig höheren Heimschesberg verbunden ist. Die Befestigung besteht aus einem den Gipfel umziehenden Ring, der heute weitgehend verschliffen und nur durch seinen stellenweise vorhandenen Steinversturz zu erkennen ist. Ältere Beobachtungen sprechen von einem doppelten Steinring. Etwa 70 m östlich liegt im Sattel zum Heimschesberg eine ca. 100 m lange, aus Wall und Graben bestehende Sperre, die nach Norden und Süden in eine schwache Terrasse übergeht. Die Lage des Tores ist äußerlich nicht zu erkennen, müßte aber im Bereich des Sattels gelegen haben. Da Ausgrabungen nicht stattgefunden haben und ein aus dem Innen-

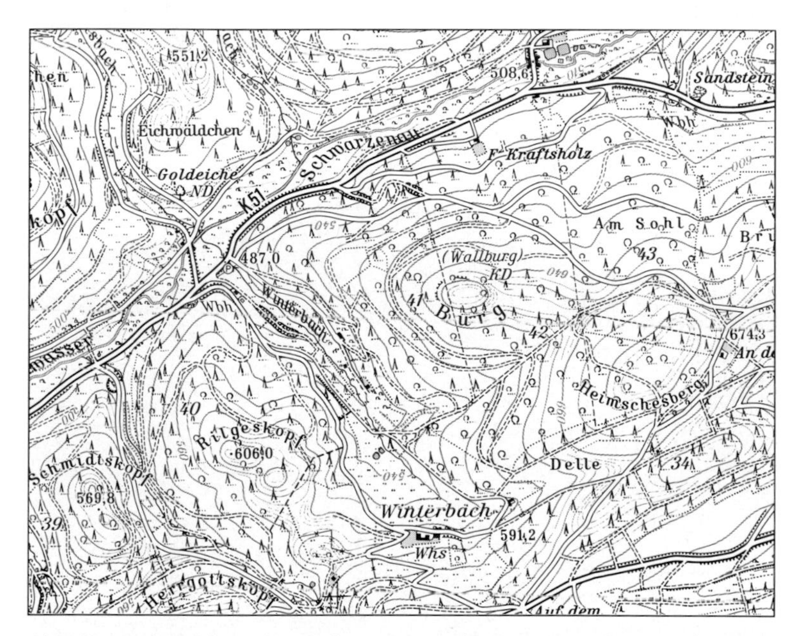

Abb. 31 Bad Berleburg-Wemlighausen. Lage der Burg (Ausschnitt aus der TK 25 Blatt 4916 Bad Berleburg).

raum stammender eiserner Tüllenmeißel keine sichere Datierung bietet, kann man die Burg nur aufgrund vergleichender Überlegungen in die Vorrömische Eisenzeit datieren. In der näheren Umgebung liegen mehrere Freilandsiedlungen dieser Zeit.

Literatur:
Bodenaltertümer Westfalens 1, 1929, 58–59 (A. Stieren).

Hartmut Laumann

Die Burg Richstein

Auf einem kleinen, isolierten Bergkegel westlich von Richstein lag eine 1384 erstmals genannte Burg (Abb. 32). Nur noch geringe, modern ergrabene Mauerreste erinnern an die ehemalige Befestigung. Im genannten Jahr erhielt Graf Johann von Wittgenstein wegen geleisteter Dienste das »Sloß Rischensteine« als Mannlehen durch den Landgrafen Hermann von Hessen. Vermutlich wurde es

Abb. 32 Bad Berleburg-Richstein. Die Burg. Blick von Süden.

kurz vorher in den Auseinandersetzungen zwischen den Landgrafen von Hessen und den Erzbischöfen von Mainz um die Vorherrschaft in Hessen erbaut. Der langsame Zerfall begann im 15. Jahrhundert und war beim großen Brand von 1590 bereits vollendet. Zu Füßen der Burg lag eine kleine Siedlung, die nach dem Brand an den heutigen Ort verlegt wurde.

Literatur:
H.-G. Radenbach, Die Burgruine von Richstein. Wittgenstein. Blätter des Wittgensteiner Heimatvereins 72, Bd. 48, 1984, 118–119 – G. Wrede, Territorialgeschichte der Grafschaft Wittgenstein. Marburger Studien zur älteren deutschen Geschichte. I. Reihe, 3. Heft (1927) 174.

Philipp R. Hömberg

Bad Laasphe

Die Alte Burg

Auf einem schmalen Bergkamm zwischen Lahn und Laasphe liegt oberhalb von Schloß Wittgenstein die Alte Burg. Eine kleine, ovale Befestigung von etwa 180 x 130 m Durchmesser mit kräftig ausgebildetem Wall, einem Materialentnahmegraben und einem Tor im Westen ist von einem zweiten, ca. 480 x 200 m großen, aus Terrassen bestehenden Ringwall umgeben (Abb. 33 und 34). Im Nordwesten des Außenringes befindet sich ein Tor mit überlappenden Wallenden, das bisher nicht untersucht ist; etwa 30 – 50 m davor liegt ein 200 m langer Abschnittswall mit einem vorgelagerten, bis zu 2,4 m breiten und 1,0 m tiefen Spitzgraben.
Bei einer Grabung im Jahre 1932 konnten H. Behaghel und K. Langenheim feststellen, daß beide Ringwälle zwei verschiedenen Perioden angehören. Im Innenwall wurde eine 2 m breite, noch 1 m hohe Trockenmauer freigelegt. Dahinter befindet sich ein ausgeprägter Materialentnahmegraben. Von den Durchgängen im Süden und Westen ist nur der letztere alt. Möglicherweise handelt es sich um ein 2,6 m breites Kastentor mit Pfostenstellungen an einer

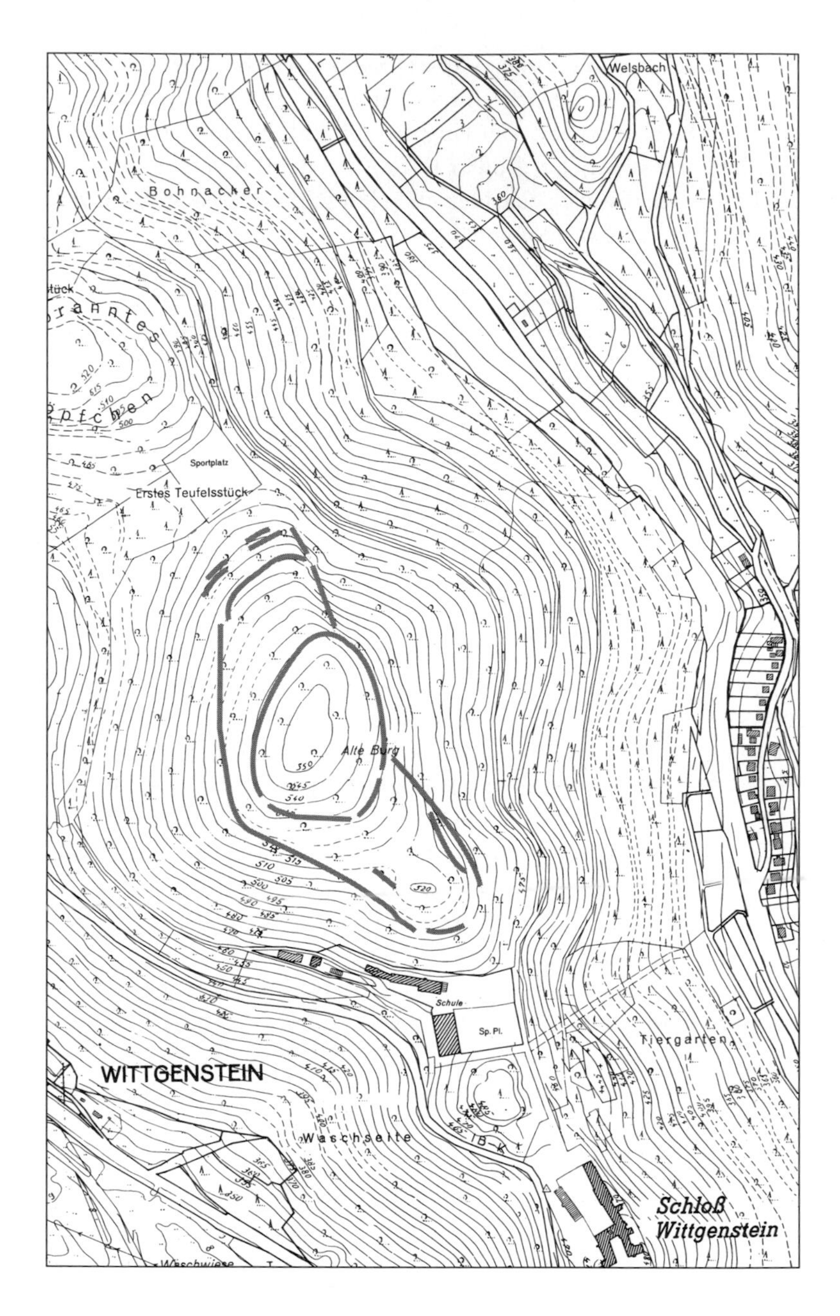

Welsbach
Bohnacker
Sportplatz
Erstes Teufelsstück
Alte Burg
Schule
Sp. Pl.
Tiergarten
WITTGENSTEIN
Waschseite
Schloß Wittgenstein

Abb. 34 Bad Laasphe. Alte Burg. Blick aus dem Lahntal.

Torwange. Aus seinem näheren Umkreis stammen die frühgeschichtlichen Funde: Ränder und Böden von Wölbwandtöpfen hessischer Machart des 9. Jahrhunderts.

Der äußere Ringwall gehört nach Bauweise, Linienführung und Ausbildung der Terrassen (Palisadengraben ?), Torform und Scherbenfunden in die Vorrömische Eisenzeit. Die verschiedenen Schnitte ließen keine genauen Erkenntnisse über die ehemalige Front zu; Steine wurden nicht beobachtet. Es fanden sich einige Randscherben vorgeschichtlicher Keramik (Schalen, starkwandige Fragmente von tonnenförmigen Gefäßen mit Fingertupfen-, Riefen- und Besenstrichverzierung). Eine einziehende Schale sowie ein kleiner Becher sind Drehscheibenware und ermöglichen eine Datierung in die Jüngere Eisenzeit.

Abb. 33 Bad Laasphe. Planskizze der Alten Burg (Ausschnitt aus der DGK 5, 34 56 Rechts, 56 44 Hoch Wittgenstein). M. 1:5000.

Literatur:

H. Behaghel, Die Eisenzeit im Raume des Rechtsrheinischen Schiefergebirges (1943) 152 u. Taf. 31 A – H. Böttger, Ausgrabungen an den Wallburgen bei Afholderbach, Aue, Laasphe und Niedernetphen. Siegerland 14, 1932, 42–45 – P. R. Hömberg, Untersuchungen an frühgeschichtlichen Wallanlagen Westfalens (1980) 15–18.

Philipp R. Hömberg und Hartmut Laumann

Die Burg von Hesselbach

Etwa 2 km westlich von Hesselbach erhebt sich zwischen den tief eingeschnittenen Tälern des Banfer Baches, des Burbachs und des Mühlenberggrabens eine markante Bergkuppe, die »Burg« (563,2 m NN). Die von Natur an drei Seiten durch Steilhänge gesicherte längliche Höhe trägt ein Befestigungssystem, das am Nordhang als Terrasse, im Süden dagegen als schwacher Wall, auf dem heute ein Wirtschaftsweg entlangführt, erhalten ist. Die umschlossene Fläche beträgt 250 x 115 m. Auf der Südseite verläuft in 15 m Abstand ein 350 m langes Außenwerk. Moderner Wegebau und andere forstliche Eingriffe haben den ursprünglichen Zustand der Anlage verändert.

Der Zugang dürfte über einen nach Südwesten zum Mühlenberggraben hin abfallenden Grat erfolgt sein. Dort liegen, im Abstand von 170 m, zwei kleinere Wallriegel, die als Annäherungshindernisse zu interpretieren sind.

Aus dem Innenraum der Burg stammt als Lesefund eine Scherbe vorgeschichtlicher Machart. Die Befestigungsweise der Anlage spricht für eine Datierung in die Vorrömische Eisenzeit.

Hartmut Laumann

Das Steinchen

Am südlichen Ortsrand von Bad Laasphe schiebt sich als Ausläufer des Buhlbergs das »Steinchen« nordwärts in das Lahntal vor. Der kleine Kopf (349 m NN) fällt nach Nordwesten steil ab; auf den übrigen Seiten wird er durch einen gut erhaltenen Halsgraben mit Außenwall gegen das Hinterland gesichert. Die Wallanlage umschließt ein Geländerund von 26 m Durchmesser. Sie gehört heute zum Kurpark. Vor dem Bau eines Kriegerdenkmals 1927 führte das Westfälische Landesmuseum mit Unterstützung der Stadt Laasphe hier eine kleine Grabung durch. Dabei gelang der Nachweis eines Rundturmes von 10,5 m Durchmesser und einer Mauerstärke von 1,3 m, dessen Funktion – ob Wart- oder Wohnturm – offenblieb. Die Funde, außer Tierknochen nur einige Scherben, erlauben mit Vorbehalt eine Datierung in das 14. Jahrhundert. Da man aus Urkunden weiß, daß zwischen 1350 und 1400 beim Übergang des Wittgensteiner Erbes an die Familie von Sayn in diesem Raum schwere Kämpfe tobten, in deren Verlauf die Stadt Laasphe einmal zerstört wurde, wird man auch die Errichtung und Zerstörung des Rundturmes auf dem »Steinchen« in diesem Zusammenhang sehen dürfen.

Literatur:

Bodenaltertümer Westfalens 1, 1929, 58 (A. Stieren) – G. Bauer, Die Ausgrabungen auf dem Steinchen bei Laasphe. Das schöne Wittgenstein H. 5/6, 1927, 214–215.

Anna Helena Schubert

Burbach

Die Burg

Am Nordrand des Westerwaldes schiebt sich »Die Burg« als beherrschende Höhe (591,2 m NN) zwischen Buchheller- und Burbach- gegen das Hellertal vor. Mit dem südlichen Hinterland über einen weitläufigen Sattel verbunden, fällt die Kuppe nach Westen, Norden und Osten steil ab.

Ein Befestigungssystem von etwa 440 m Länge und 250 m Breite umschließt das gestreckte, Ost-West verlaufende Plateau des Berges, wobei Erhaltungszustand und Maueraufbau wechseln. Auf der nur leicht geneigten, besonders gefährdeten Ostseite des Berges

erreicht der Wall bis zu 3 m Höhe (Abb. 35). Vorgelagert ist ihm hier ein Spitzgraben. Zur steileren Südflanke hin flacht der Wall immer mehr ab und geht in eine Terrasse über, deren Front, wie Ausgrabungen Ende der zwanziger Jahre zeigten, durch eine Holzpalisade verstärkt war. Die Nord- und die Ostseite der Befestigung sind über weite Strecken nur noch schwach als Quarzitsteinband erkennbar, offenbar weil der Versturz in neuerer Zeit immer wieder als Steinbruch diente. Das einzige erhaltene Tor, durch leicht einziehende Wallenden charakterisiert, liegt auf der Ostseite, wo dem bereits durch Spitzgraben verstärkten Hauptwall ein Wall-Graben-Stück von etwa 40 m Länge vorgelagert ist.
Datierende Funde fehlen bisher. Die Anlage dürfte, wie ein Vergleich mit ähnlichen Befestigungen des Siegerlandes nahelegt, in die Vorrömische Eisenzeit gehören. Aus dem Nordhang stammt ein As des Nero (63/68 n. Chr.).

Abb. 35 Burbach. Die Burg. Wall an der Ostseite.

Literatur:

Bodenaltertümer Westfalens 1, 1929, 55–56 (A. Stieren) – B. Korzus, Die Fundmünzen der römischen Zeit in Deutschland, Abt. VI Nordrhein-Westfalen, Band 5 Arnsberg (1972) 75 Nr. 5055.

Hartmut Laumann

Die Wüstung Wiebelhausen

Eine besonders gut erhaltene mittelalterliche Siedlungsstelle befindet sich im obersten Talabschnitt des Wildenbaches zwischen Wilnsdorf und Gilsbach. Sie ist aufgrund von Angaben in einer historischen Karte von ca. 1620 und modernen Flurnamen als ehemalige Ortslage von »Wibelhusen« zu identifizieren.

Einer von H. Böttger mitgeteilten Quelle zufolge erscheint der Ort erstmals 1360, also relativ spät, als »Webelshausen« in der urkundlichen Überlieferung. In dem zwischen 1417 und 1419 angelegten Verzeichnis der nassauischen Rentei Siegen wird unter den Einkünften aus dem Kirchspiel Burbach auch der »Hoff tzu Wybelhusen« aufgeführt. Die Grundrente des Hofes ist mit 1,5 Maltern Hafer und – von einem anderen Schreiber um 1420 zugefügt – mit weiteren 0,5 Maltern Korn angegeben. Da der Hof als wüstliegend (»yst wuste«) bezeichnet ist, darf bezweifelt werden, daß diese Abgaben tatsächlich entrichtet wurden. Für eine Abwanderung aus dem Ort spricht, daß ein Henne van Wibelhusen in demselben Verzeichnis als Einwohner von Wilnsdorf bezeugt ist. Im Jahre 1471 überweist Manth von Selbach seinem Schwager Godert und dessen Frau unter anderem den »hoeff ...czu Webelhusen« im Grunde Selbach, an die der Hof bereits vorher verpfändet war. Daß der Hof zu diesem Zeitpunkt nicht als Bestandteil eines noch existierenden Dorfes angesehen werden kann, ist dem Umstand zu entnehmen, daß Wibelhusen im Schatzungsregister von 1461 nicht eigens aufgeführt ist. Auf der um 1620 entstandenen Karte ist die Erinnerung an das Dorf lediglich in einer Flurbezeichnung erhalten geblieben.

Diese Flurbenennung hat Eingang in die moderne Grundkarte gefunden und bezeichnet eine Weitung des oberen Wildenbachtales. Die Ortsstelle liegt in einer Höhe von rund 410 m NN an einem nach Nordosten exponierten Talhang oberhalb der eigentlichen Talaue und nimmt eine für Siedlungen des Rheinisch-Westfälischen Schiefergebirges typische topographische Lage ein. Im ehemaligen Ortsbereich haben sich mehrere künstlich geschaffene Podien, Hohl- und Vollformen des Mikroreliefs und ein Hohlwegabschnitt erhalten. Kleinste, aus Windwürfen stammende Scherben belegen die mittelalterliche Besiedlung dieses Platzes. Unterhalb der Podien liegt ein heute versumpfter Quellbereich. Als ein die Podien im Nordosten tangierendes Rinnsal seinen Lauf geringfügig verlagerte, wurde in erheblichem Umfang großformatiger Scherbenbruch freigespült. Es handelt sich um Funde überwiegend oxidierend (Abb. 36, 1), teils auch reduzierend gebrannter Irdenware. In geringem Umfang ist auch »blaugraue Irdenware Paffrather Art« belegt (Abb. 36, 2). Die Gefäßfragmente haben zu Kugeltöpfen gehört. Auffällig ist ein Fragment aus »gelber Irdenware« mit plastischer Applikation, das Bestandteil eines figürlichen Gießgefäßes (Tieraquamanile) gewesen sein könnte. Stark vertreten sind unter dem Fundgut »rotengobierte gelbe Irdenware« (Protosteinzeug) (Abb. 36, 3.4.6), »Faststeinzeug mit rotbrauner Engobe« (Abb. 36, 5) sowie das für das südliche Westfalen und Siegerland typische weißliche, glasurlose Steinzeug (Abb. 36, 7). Unter den Gefäßfragmenten sind solche von Krügen mit Wellenfuß und bauchigen gehenkelten Flaschen mit enger Mündung belegt. Das keramische Fundmaterial unterstreicht die Existenz der dörflichen Siedlung im hohen und späten Mittelalter (ca. 12.–14./15.[?] Jahrhundert). Mehrere 100 m östlich der Podien sind in der Talaue in Prallhängen des Wildenbaches mehrere Schlackenhalden aufgeschlossen. Spärliche Keramikfunde lassen schließen, daß die Eisenerzeugung in diesem Areal etwa zeitgleich mit dem Bestehen des Ortes erfolgte.

Abb. 36 Burbach-Gilsbach. Wüstung Wiebelhausen. Keramik des hohen und späten Mittelalters. M. 1:4.

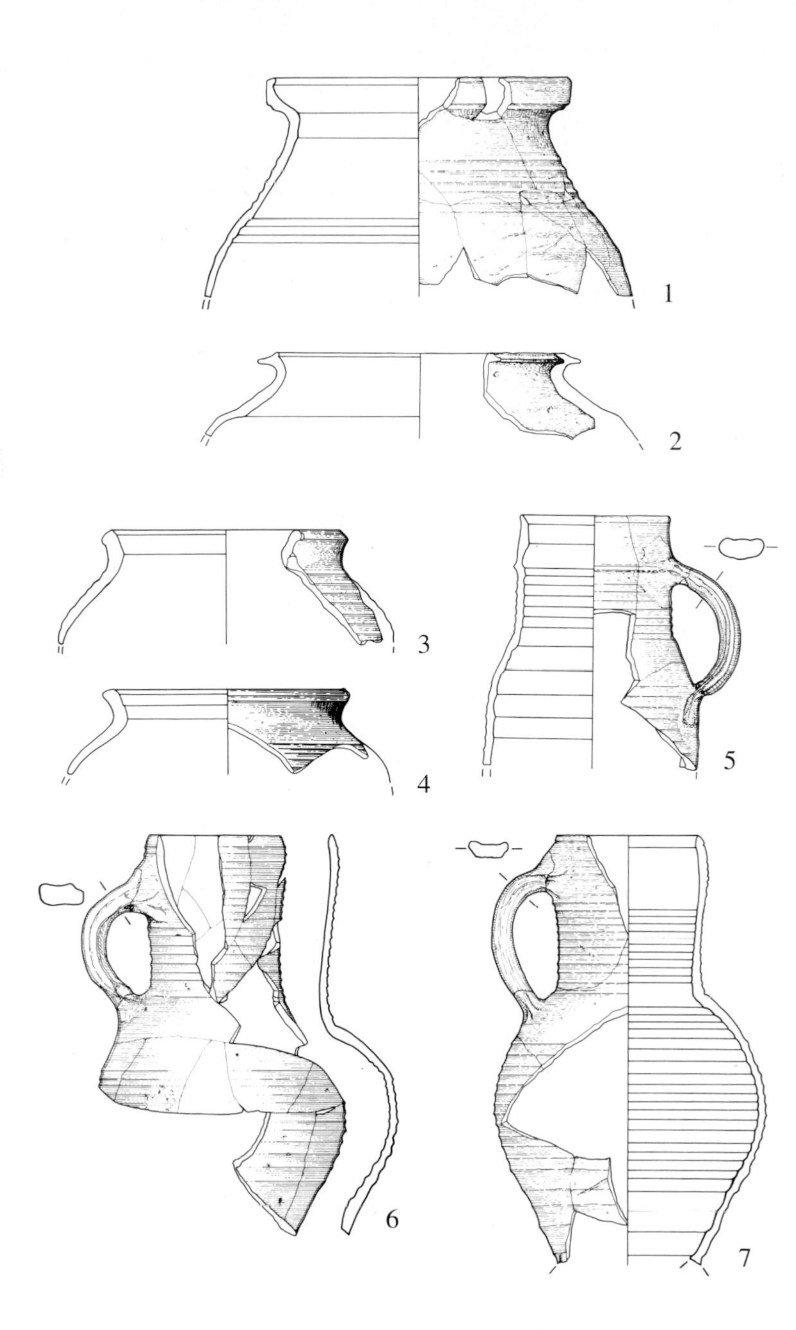

1
2
3
4
5
6
7

Literatur:

L. Bald, Das Fürstentum Nassau-Siegen. Territorialgeschichte des Siegerlandes. Schriften des Instituts für geschichtliche Landeskunde von Hessen und Nassau 15 (1939) 51–52 – H. Böttger, Die Wüstungen des Kreises Siegen. Siegerland 11, 1929, 2–12, 41–48, 81–91, 119–129 – Ders., Siedlungsgeschichte des Siegerlandes. Siegerländer Beiträge zur Geschichte und Landeskunde 4 (1951) – F. Fromme, Die älteste Karte über den Freien Grund (um 1640). Siegerland 29, 1952, 24–27 – Siegener Urkundenbuch 2, hrsg. von F. Philippi. Neudruck der Ausgabe 1927 (1975) Nr. 87 und Nr. 203.

Rudolf Bergmann

Freudenberg

Der Schloßberg

Etwa 100 m westlich der heutigen Kirche liegt auf einer steil nach Westen abfallenden Kuppe zwischen der Weibe und einem von Westen einmündenden Nebenbach der Burgplatz, ein rundlich-ovales Plateau von 50 x 30 m. Von der nach 1345, wahrscheinlich kurz vor 1389 auf dem Freudenberg erbauten Burg, die der Sicherung der nassauischen Westgrenze gegen die hier begüterten Herren von Wildenburg diente, ist oberirdisch nichts erhalten. Die bereits 1389 an die Familien von Bicken und von Seelbach verpfändete Burg, zu diesem Zeitpunkt noch nicht vollständig fertiggestellt, war mit Burgmännern besetzt, die 1463, 1476 und 1492 genannt werden. Der schon vor 1666 einsetzende Zerfall wurde durch den Stadtbrand in diesem Jahr beschleunigt. Vom Schloßberggelände stammen Scherbenfunde des 12/13. Jahrhunderts.

Literatur:

L. Bald, Das Fürstentum Nassau-Siegen. Territorialgeschichte des Siegerlandes. Schriften des Instituts für geschichtliche Landeskunde von Hessen und Nassau 15 (1939) 139–144, 176–177, 355–357.

Philipp R. Hömberg

Die Silberburg bei Niederndorf

Etwa 2 km südöstlich von Niederndorf springt eine vom Giebelwald herabziehende Bergnase in das Übachtal vor. Die Südost-Nordwest verlaufende Zunge (339,4 m NN; Abb. 37) fällt nach Osten, Norden und Westen steil ab. Nur ein schmaler Sattel verbindet sie im Südosten mit dem leicht ansteigenden Hinterland. Ein annähernd halbkreisförmiger Halsgraben und zwei geradlinig verlaufende Grabenstücke sowie ein mächtiger Erdwall sichern ein kleines, 400 m^2 großes Plateau. Hinter der Außenmauer lassen sich Baureste und Erdwerke erkennen, während der Innenraum selbst völlig eingeebnet ist. Im Hang zieht sich auf der Südwest- und Nordwestseite, 6 – 8 m unterhalb des Plateaurandes, ein breiter, teilweise in den Felsen eingearbeiteter Graben hin, der sich auf der besonders steilen Nordostflanke erübrigte. Die Bergzunge ist als Silberburg, Alte Burg, Hünenburg und Alter Ring belegt. Urkundliche Hinweise auf den ursprünglichen Namen und die Erbauer fehlen. Da die Burg im umstrittenen Grenzgebiet zwischen den Grafschaften Sayn und Nassau liegt, wird man ihre Erbauung am ehesten mit kriegerischen Auseinandersetzungn um diese Grenze in Verbindung bringen dürfen.

Abb. 37 Freudenberg. Silberburg. Blick von Westen.

1929 und 1930 führte H. Behaghel Grabungen durch. Im Nordosten und Südosten der Innenfläche konnte er hinter der Umfassungsmauer zwei turmartige Gebäudegrundrisse aus gemörtelten Steinmauern freilegen. Teile der 1,4 m starken Außenmauer mit vorgelagerter Berme wurden auf der Ostseite festgestellt, während im Westen entsprechende Reste fehlten. Der mächtige, bis zu 8 m über die Grabensohle aufsteigende Erdwall an der Südostseite zum Sattel hin enthielt keinen Mauerkern. Das bescheidene Fundgut aus Brandschichten im Gebäudeinneren, Pingsdorfer Ware und einige Eisengeräte (Pfeilspitzen), erlaubt nur eine ungefähre Datierung in das 11./12. Jahrhundert.

Literatur:
H. Behaghel, Die alte Burg bei Niederndorf. Siegerland 12, 1930, 112 – Ders., Die Silberburg bei Niederndorf. Siegerland 15, 1933, 27–29.

Anna Helena Schubert

Der Dicke Schlag bei Hohenhain

Unmittelbar östlich von Hohenhain liegen zu beiden Seiten der Straße nach Freudenberg mächtige Verschanzungen (Abb. 38). Sie sichern den »Dicken Schlag«, den am stärksten befestigten Durchgang durch die Siegener Landhecke, auch Kölsches Heck genannt (vgl. S. 90). Abbildung 39 zeigt den Zustand vor 1953: Wall und Graben beginnen im Nordosten im Steilhang des »Hohlen Seifens«, überqueren die Kammhöhe, auf der die heutige Straße verläuft, und enden im Gegenhang an einem Seitenbach der Plittersche. Nördlich der Straße besteht die tief gestaffelte Befestigung aus einem noch etwa 0,5 m hohen Wall (Abb. 39, »3. Wall«), der geradlinig von Nordosten kommt, sich jedoch unmittelbar nördlich der Straße in eine Vielzahl von Bögen und Versprüngen auflöst. Ihm sind westlich drei Schanzen vorgelagert, die aus einem heute noch bis zu 1,3 m hohen Wall mit einem 1,5 m tiefen und bis zu 7 m breiten Graben bestehen (Abb. 39, B, C, E). Südlich der heutigen Straße biegt der »3. Wall« nach Südosten ein. Ihm sind auf der westlichen Außenseite zwei kleine Dreicksschanzen mit über-

höhten Spitzen vorgesetzt. Daneben befinden sich im Südosten noch eine Vielzahl von Wall- und Grabensystemen von geringeren Ausmaßen, die keine näheren Aussagen zulassen.
Überschneidungen von Dreiecksschanzen und dem »3. Wall« zeigen, daß die Landhecke am Dicken Schlag wenigstens zweiperiodig gewesen sein muß, wie es auch die historische Überlieferung nahelegt: Der im großen Bogen auf der Kammhöhe verlaufende »3. Wall« wird der für die Zeit der Soester Fehde (1444–1449) anzusetzenden ersten Landwehr zuzuordnen sein, während die Dreiecksschanzen dem Ausbau nach 1568 zuzuschreiben sind (vgl. S. 93).

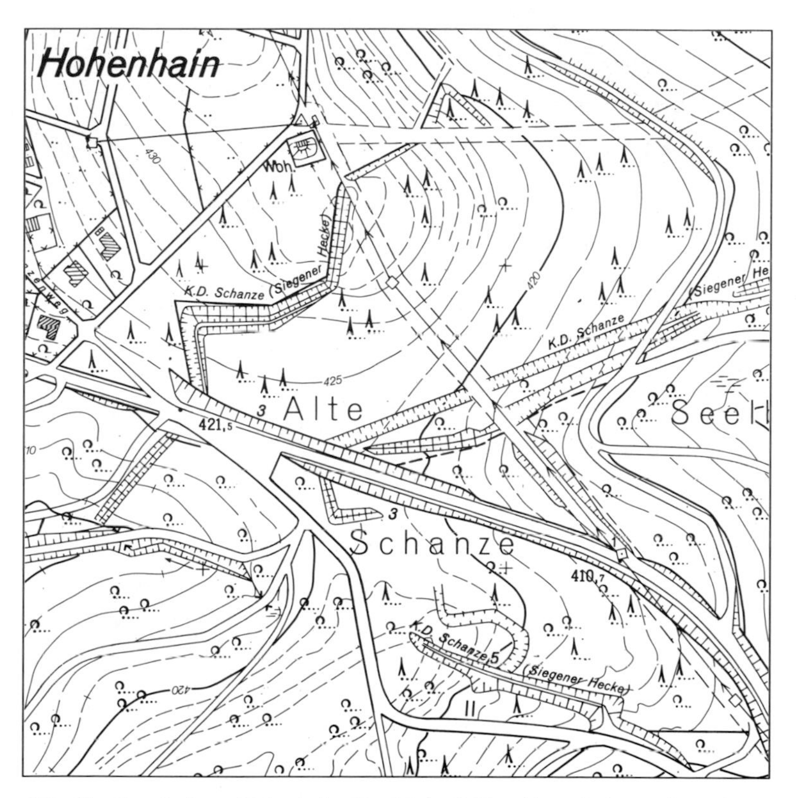

Abb. 38 Freudenberg-Hohenhain. Der Dicke Schlag (Ausschnitt aus der DGK 5, 34 18 Rechts, 56 42 Hoch Hohenhain).

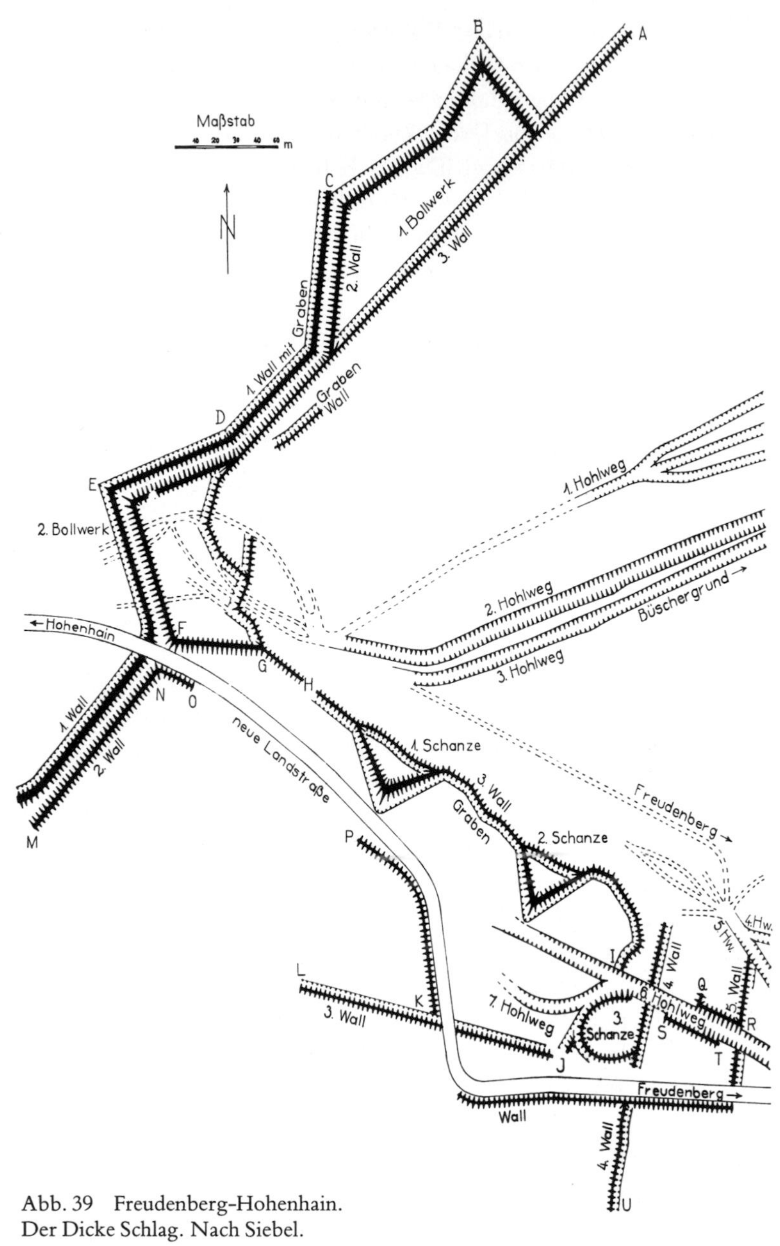

Abb. 39 Freudenberg-Hohenhain.
Der Dicke Schlag. Nach Siebel.

Die Bedeutung des Dicken Schlages liegt in der Sicherung der Westgrenze des Siegener Territoriums und der Kontrolle der hier verlaufenden, in Karten des 18. Jahrhunderts verzeichneten »Kölner Straße«, von der zwei unterschiedlich alte Trassen belegt sind. Daß beide am Dicken Schlag kontrolliert wurden, beweisen zwei spitzwinklig zueinander verlaufende, im Hang tief eingeschnittene Hohlwegbündel (größte Tiefe 3,5 m) östlich des Dicken Schlages (Abb. 39, 1.2.3. und 4.5.6. Hohlweg).

Literatur:

G. Siebel, Die Nassau-Siegener Landhecken. Siegerländer Beiträge zur Geschichte und Landeskunde 12 (1963) 18–19.

Sigrid Lukanow

Hilchenbach

Die Ginsburg

Etwa 7 km südöstlich von Hilchenbach und westlich der Ginsberger Heide befindet sich die Ruine einer hochmittelalterlichen Burg, in der seit 1931 Grabungen und Restaurierungen stattgefunden haben (Abb. 40).

Es handelt es sich um eine zweiteilige, 80 x 50 m große Anlage. Die im Osten liegende Hauptburg mit Bergfried (lichte Weite 2,7 m) und der Palas seitlich daneben sind von einer Wehrmauer umgeben, an die sich außen ein mächtiger Sohlgraben von 7–10 m Breite und bis zu 9 m Tiefe anschließt, der Haupt- und Vorburg voneinander trennt. Im Norden, Osten und Süden der Hauptburg wird er von einem Außenwall begleitet, der aus einer Stein-Erde-Anschüttung ohne Mauerkern oder Holzeinbauten bestand. Dieser Außenwall setzt sich als scharfe und steil abfallende Geländekante von der Westseite der Hauptburg aus weiter nach Westen fort und umgibt die gesamte Vorburg, in der ein unregelmäßig rechteckiges Burghaus freigelegt wurde. Die Westseite der Vorburg wird zusätzlich von einem Graben mit Außenwall geschützt, die im Nord- bzw.

Südhang auslaufen. Der ehemalige Zugang muß, langsam ansteigend, über den Nordhang erfolgt sein, wo noch heute eine Trasse zu erkennen ist.
Die erste urkundliche Nennung der Ginsburg fällt in das Jahr 1292, doch wird allgemein angenommen, daß ein 1255 genanntes »nowum Castrum« mit der Ginsburg identisch ist. Die Burg sollte wohl nassauische Territorialansprüche gegenüber den Kölner Erzbischöfen im nördlichen Siegerland sicherstellen. Der archäologische Befund läßt leider die Frage offen, ob es sich um eine neue Burg handelt, wie die Urkunde nahelegt, oder um den Erwerb einer bereits vorhandenen, wie es in der örtlichen Literatur gelegentlich anklingt und worauf Baubefunde hinweisen könnten. Zwischen dem Ende des 13. und dem 16. Jahrhundert wird die Ginsburg wiederholt genannt. Bei der Beschreibung des Ginsberger Hofes 1690 ist vom »alten Schloss« die Rede und 1740 bereits von einer Ruine.

Abb. 40 Hilchenbach. Ginsburg. Blick von Westen.

Literatur:
H. Böttger, Die Ginsburg. Siegerland 13, 1931, 42–48 – A. Lück, Ginsburg 1568–1968. Siegerland 45, 1968, 33–43 – G. Scholl, Zur Geschichte der Burg Ginsburg. Siegerland 40, 1963, 52–60 – Ders., Ginsburg. Burg und Ruine zwischen gestern und morgen (1981).

Philipp R. Hömberg

Die Bergbauwüstung Altenberg

Zwischen dem Kindelsberg und der Martinshardt liegt eine Paßhöhe (490 m NN), auf der heute die Grenze zwischen dem zur Stadt Kreuztal gehörigen Ort Littfeld und dem zu Hilchenbach eingemeindeten Müsen verläuft. Sie trägt den Namen »Altenberg« – im Siegerländer Dialekt »Almerich«. Während jetzt ein nur von Müsen bis zur Paßhöhe befestigter Weg die Orte miteinander verbindet, verlief hier früher eine Straße, deren Alter wir nicht kennen. Bekannt ist der Altenberg als Erzlagerstätte. Bis 1914 wurden schwach silberhaltige Blei- und Zinnerze gefördert. Die große Bergehalde auf der westlichen, der Littfelder Seite und die im Gelände oberhalb davon gekennzeichnete Stelle des zugehörigen Schachtes zeugen noch von dieser letzten Phase der Bergbautätigkeit. Schriftliche Aufzeichnungen sprechen vom Bergbau auf dem »Altenberger Gang« im 16. und 18. Jahrhundert. Viele der heute im Gelände noch sichtbaren Spuren, vor allem größere Pingen und Pingenreihen – trichterförmige oder langgestreckte Eintiefungen, häufig von einem Wall aus ausgehobenem Material, genannt »Berge«, umgeben, als verstürzte Reste von Schächten, Stollen oder sonstigen bergmännischen Hohlräumen – auf der östlichen Seite des Berghanges rühren aus dieser Zeit. Im letzten Jahrhundert hat Johann Heinrich Jung-Stilling, der unweit in Grund geborene Siegerländer Arzt und Schriftsteller, die Sage vom »Almerich« aufgezeichnet: Die durch Bergsegen reich gewordenen Bewohner einer einst hier gelegenen Stadt wurden übermütig und maßlos und gingen durch vom Himmel gefallenes Feuer zugrunde. Diese von ihrem Inhalt her als Wandersage erkennbare Erzählung war bis zum Beginn der Grabungen der einzige Hinweis auf eine sonst

durch keinerlei schriftliche Überlieferung bekannte Bergbausiedlung.
Seit 1963 waren Heimatfreunde hier auf Steinmauern, mittelalterliche Keramik und einen Münzschatz gestoßen. Ein Straßenbauprojekt veranlaßte das Westfälische Amt für Denkmalpflege, vorsorglich eine Rettungsgrabung anzusetzen, die 1970 und in den folgenden Jahren durchgeführt wurde. Ab 1971 beteiligte sich das Deutsche Bergbau-Museum Bochum an den Arbeiten in mehreren Kampagnen bis 1980, insbesondere durch die Untersuchung von Schächten und Verhüttungsspuren. Die Ausgrabungen ergaben, daß hier im 13. Jahrhundert eine Bergbausiedlung bestand. Die Datierung wird durch Jahrringanalysen zahlreicher Hölzer, durch Keramikfunde und die Münzen übereinstimmend in die Zeitspanne von Anfang bis zu Ende des 13. Jahrhunderts festgelegt.
Innerhalb der Bergbausiedlung befanden sich sowohl die Schächte, in denen das Erz gefördert wurde, als auch die Anlagen zur Aufbereitung und Weiterverarbeitung und ebenso die Wohnstätten. Es zeigte sich auch, daß Siedlungsrelikte und Bergbauelemente nicht nur einander benachbart sind, sondern sich in dichter Folge auch gegenseitig überlagern, d. h. daß z. T. Bergehalden auf Werk- und Siedlungsflächen aufgeschüttet und umgekehrt Wohngebäude über Halden und sogar über verfüllten Schächten errichtet wurden. Dieser Vorgang hat sich während der insgesamt nur kurzen Lebensdauer der Bergbausiedlung zuweilen sogar mehrfach wiederholt.
Die bisher bekanntgewordenen Gebäude verteilen sich über ein Areal von ca. 80 x 120 m Größe (Abb. 41). Vorgefunden wurden ebenerdige Häuser in Pfosten- und Schwellbalkenkonstruktion (Fst. 2: 4,20 x 3,40 m; Fst. 1: ca. 5 x 7 m; Fst. 33: 7 x 7 m). Ein aus Pfosten und Flechtwerk konstruiertes kleines Gebäude (Fst. 4: 3 x 2,70 m) war grubenhausartig in eine Bergehalde eingetieft. Besonders markante Befunde waren die von Steinmauern eingefaßten Keller, deren Größe von etwa 2 x 3 m bis etwa 4 x 4 m schwankt. Ebenso variiert die Eintiefung: teils nur wenig in den schrägen Hang eingearbeitet, teils bis zu ca. 2 m. In den ebenerdigen Gebäuden gab es Feuerstellen, in einem besonders kleinen Haus sogar

einen Kachelofen, von dem das Fundament und zahlreiche Kacheln gefunden wurden. Die Keller wiesen dagegen keine Feuerstellen auf. Sie waren verfüllt mit dem eingestürzten Schutt von Steinen, Lehm und Bauhölzern. In drei Kellern fanden sich jeweils wenige Erzbröckchen. Da sich im unmittelbaren Anschluß an die Keller keine zugehörigen Spuren ebenerdiger Häuser feststellen ließen, wird angenommen, daß auf den Kellermauern selbst obertägige

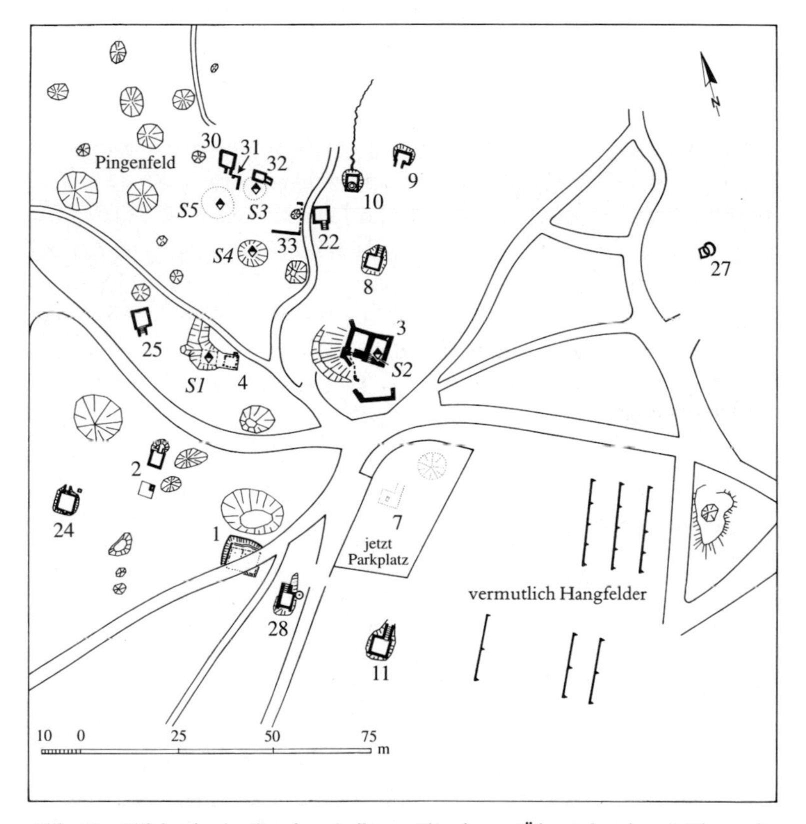

Abb. 41 Hilchenbach. Bergbausiedlung Altenberg, Übersichtsplan. 1 Ebenerdiges Flechtwerkhaus. 2 Kleines hölzernes Haus mit Kachelofen, nordöstlich davon Steinkeller. 3 Zweiteiliges Gebäude auf der Paßhöhe. 4 Grubenhaus mit Lederfunden. 7 Schmiede, bei Parkplatzbau zerstört. 8–11.22.24.25.28 mit Steinen ausgemauerte Keller. 27 Schmelzofen. 30–33 Siedlungsbefunde. S 1 – S 5 Schächte.

Gebäude standen, vermutlich in einer Mischkonstruktion aus Stein (Mörtelreste!) und Holz. Die Keller dienten offenbar zur Aufbewahrung vor allem wohl von Erzen. Ein Gebäudekomplex (Fst. 3) zeichnet sich durch besondere Größe und seine Zweiteiligkeit aus. Er lag unmittelbar auf der höchsten Paßstelle auf einem aus Bergematerial aufgeschütteten Hügel. Auf dem Hügelplateau befand sich das verhältnismäßig massive Steinfundament eines innen 4,20 x 4,20 m großen Gebäudes (Abb. 42). Zwei Eckstrebepfeiler sollten das offensichtlich zwei- oder mehrgeschossige Bauwerk gegen Abrutschen am Hang sichern. Im Innern lagen entlang den Stein-

Abb. 42 Hilchenbach. Bergbausiedlung Altenberg. Fundstelle 3, Grundriß der Zentralanlage von Westen.

fundamenten Schwellbalken für eine Holzkonstruktion. Im Osten war ein tiefer Keller (4 x 3,50 m) angebaut. Das Gebäude überlagerte nicht nur die Bergehalde, sondern auch unter der Bergehalde verschüttete, ältere Keller und eine Schachtanlage. Es gehört mithin in die jüngere Phase der Siedlungszeit. Unverkennbar verweisen seine Merkmale auf eine zentrale Bedeutung innerhalb der Ansiedlung.
Ein wesentlicher Teil der heutigen Geländeoberfläche ist durch Ablagerung von Bergematerial bestimmt. Mehrfach angeschnitten wurden hölzerne Rinnen, oft von Steinen eingefaßt (Gerinne) (Fst. 1), wie sie nach den einschlägigen Darstellungen in einem Bergbaugelände zu erwarten sind. Westlich des erwähnten größeren Gebäudes stand ein Gerinne in Verbindung mit einer teichartigen Mulde, die vor allem mit den schlammigen Anteilen des Bergematerials gefüllt war und die vielleicht mit einer Schlämmung des geförderten Materials zusammenhängt. Mehrfach wurden in Schnitten und kleinen Flächen Arbeitsebenen erfaßt, meist mit Holzkohle bedeckt. An zwei Stellen wurden ganz in der Nähe von steinernen Kellern kleine Ofenkonstruktionen aufgedeckt, die als Probieröfchen anzusprechen sind; Erzreste und Schlacken fehlen hier allerdings. Eine größere Schmelzofenanlage fand sich etwa 75 m östlich des Siedlungsrandes am Hang (Fst. 27). Es handelt sich um zwei einander überlagernde, ringartige Fundamente, von denen das ältere oval, das jüngere hufeisenförmig ist, mit einem Innendurchmesser von etwa 3 m. Der jüngere Ofen besaß noch Teile von einer verziegelten Lehmtenne und am Rande Staklöcher einer Kuppelkonstruktion aus Holz und Lehm.
Untersuchungen am Bachlauf im Tal östlich der Bergbauwüstung haben Schlackenreste und mit Holzkohle bedeckte Arbeitsniveaus, dazu Keramik des 13. Jahrhunderts zutage gefördert. Öfen wurden nicht gefunden, doch ist anzunehmen, daß Verhüttungsprozesse hier im anliegenden Tal stattfanden.
Innerhalb des Siedlungsareals konnten sechs Schächte archäologisch erfaßt werden. Drei Schächte wurden durch teilweises Aufwältigen untersucht. Einer davon erwies sich als ein ehemals nicht fündig gewordener Schacht (Abb. 41, S 1).

Die Hauptarbeit galt dem bei der Grabung unter dem Keller des Zentralgebäudes gefundenen Schacht (Abb. 41, S 2; Abb. 43). Er hatte einen vollständigen hölzernen Ausbau. Der Schacht wurde bis in eine Teufe von 22,50 m untersucht. Dabei erfaßte man zwei Strecken ohne den Schachtsumpf zu erreichen. Dendrochronologische Proben datieren den Schachtausbau auf das Jahr 1213 (Fällungszeit im Winter 1212).
Der alte Ausbau aus Eichenholz hatte eine lichte Weite von 1,35 x 1,35 m. Er bestand aus horizontalen Rahmenhölzern, die vierkant bearbeitet und an den Enden miteinander verzapft waren. Ihr senk-

Abb. 43 Hilchenbach. Bergbausiedlung Altenberg. Blick in Schacht 2 mit dem hölzernen Ausbau.

rechter Abstand betrug gut 1 m. Senkrechte Bohlen von 2 m Länge waren so gesteckt, daß sie gegen den oberen Rand von innen und gegen den unteren Rand von außen drückten. Die obere Strecke ging in 15 m Teufe ab. Sie stand in sehr mürbem, tonigem Gebirge und besaß einen dichten hölzernen Ausbau. Die Stempel bestanden aus halbierten Eichenstämmen von 22 bis 28 cm Durchmesser in einem Abstand von 0,40 m. Der lichte Querschnitt hatte ursprünglich eine Höhe von 1,05 m und eine Breite von 0,50 m. Durch den Druck des Gebirges, insbesondere des einquellenden Tones, war der Ausbau stark verzogen. Eine Untersuchung war nur auf 1,50 m Länge möglich.

Etwa 3 m tiefer wurde eine zweite Strecke angetroffen. Sie stand in festerem Gebirge, war nicht so stabil ausgebaut wie die obere und konnte auf 6 m eingesehen werden. Die Querschnittsmaße entsprechen denen der oberen Strecke.

Ein dritter untersuchter Schacht stand, wie der zuerst genannte, in festem Gebirge. Er besaß deshalb in seinem oberen Teil keinen durchgehenden Ausbau, sondern nur einzelne Spreize oder Spreizrahmen. In etwa 15,50 m Teufe wurde ein Rahmen mit einer lichten Weite von 0,80 x 1,00 m angetroffen und darunter eine holzausgebaute Strecke mit dem gleichen Querschnitt wie bei dem zuvor genannten Schacht. Die Strecke endet nach 1,50 m blind. Nach unten folgte ein weiterer Ausbau des Schachtes wie bei Schacht 2. Auch hier konnte der Schachtsumpf nicht erreicht werden.

Die Bergbausiedlung auf dem Altenberg diente, wie die massiven Steingebäude, aber auch die Einzelfunde ausweisen, während der Dauer ihres Bestehens nicht nur zeitweiligem Aufenthalt der Bergleute, sondern wurde ständig bewohnt. Gefunden wurden u. a. ein Kachelofen (Fst. 2), reichlich Keramik – in der Überzahl Import rheinischer Herkunft –, der Läuferstein einer Mühle und zwei hölzerne Schuhleisten. Letztere kamen zusammen mit zahlreichen Lederresten in dem Grubenhaus (Fst. 4) vor und belegen eine handwerkliche Produktion. Auch eine Schmiede (Fst. 7) ist nachgewiesen. Hangparallele Terrassen am östlichen Rand der Siedlung deuten sogar auf Ackerbau. Die Pollenanalyse spricht für Roggenanbau. Als Freizeitbeschäftigung sind Kegelspielen und Würfeln

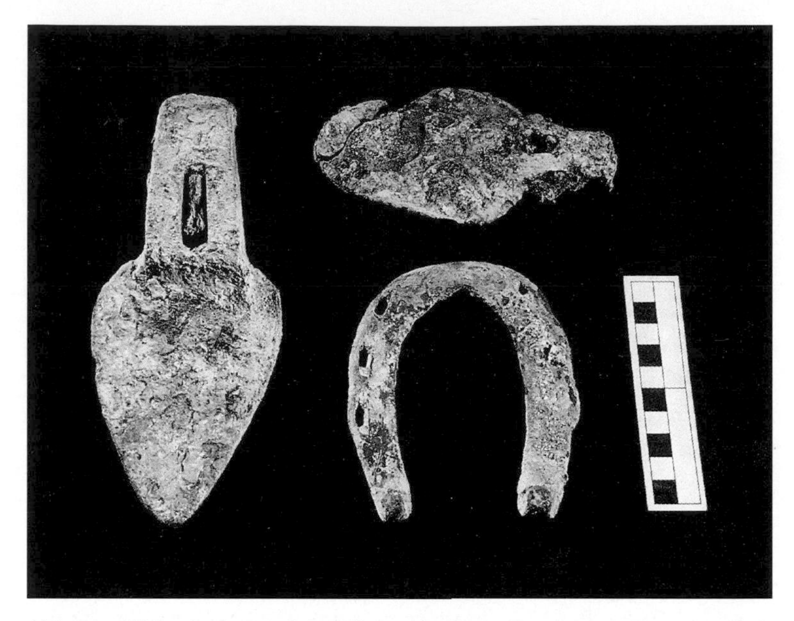

Abb. 44 Hilchenbach. Bergbausiedlung Altenberg. Zwei eiserne Kratzer und ein Hufeisen.

durch Funde belegt. Aus dem Arbeitsbereich der Bergleute gibt es Funde von Eisenkeilen (Fimmel), kleine Hacken (Kratzer) (Abb. 44) und eine hölzerne Schaufel.

Über die Art und Qualität des Erzes, das hier im 13. Jahrhundert gefördert wurde, liegen noch keine abschließenden Untersuchungen vor. Vermutlich ging es in erster Linie um das Silber, das in den oberflächennahen Bereichen stärker angereichert gewesen sein könnte als bei den zuletzt geförderten, tiefliegenden Erzen.

Das Ende der Siedlung könnte von kriegerischen Katastrophen begleitet oder herbeigeführt worden sein. Als Argument dafür lassen sich freilich nicht die überaus zahlreich angetroffenen Brandschichten heranziehen – sie gehören in der Regel offensichtlich zu Werkplätzen – wohl aber die Münzen, die um 1290 deponiert und von ihren Besitzern nicht wieder geborgen wurden. Vor allem aber dürften die technischen Bedingungen für das Ende des Bergbaus

und der Siedlung um die Wende des 13. Jahrhunderts bestimmend gewesen sein, d. h. die Unmöglichkeit, das in die immer tiefer getriebenen Schächte einsickernde Wasser rasch genug herauszuschaffen.
Ein beschilderter Lehrpfad orientiert heute den Besucher im Gelände über die noch sichtbaren Befunde. Ein kleines Museum in Hilchenbach-Müsen zeigt einen wesentlichen Teil der Einzelfunde. Auch in der Schausammlung des Deutschen Bergbau-Museums Bochum haben die Forschungsergebnisse ihren Niederschlag gefunden.

Literatur:
Altenberg. Geschichte und Archäologie einer mittelalterlichen Bergbausiedlung im Siegerland. Hrsg. v. Heimat- und Verkehrsverein Müsen e. V. Mit Beitr. v. H. Cadel, C. Dahm, U. Lobbedey, G. Scholl (1971) – Die Bergbausiedlung Altenberg. Hrsg. v. Verein Altenberg e. V. Mit Beitr. v. C. Dahm, F.-R. Kühn, U. Lobbedey, M. Lusznat, G. Weisgerber (1979) – C. Dahm, Die mittelalterliche Bergbausiedlung Altenberg. Siegerland 50, 1973, 7–17 – Ders., Die Bergbausiedlung Altenberg. In: Ich gab dir mein Eisen wohl tausend Jahr... Beiträge zur Geschichte speziell zur Wirtschafts- und Kulturgeschichte des Bergbezirks Müsen und des nördlichen Siegerlandes. Zur 900-Jahr-Feier zusammengetragen und bearbeitet von W. Müller-Müsen, hrsg. vom Kulturverein Müsen (1979) 89–97 – W. Kroker, Bericht über die Grabung auf dem Altenberg. Erzmetall 25, 1972, 143 – U. Lobbedey, Der Altenberg bei Müsen (Siegerland). Eine Bergbauwüstung des 13. Jahrhunderts. In: H. Steuer, U. Zimmermann (Hrsg.), Montanarchäologie in Europa. Berichte 3. Internationales Kolloquium »Frühe Erzgewinnung und Verhüttung in Europa« in Freiburg/Breisgau vom 4.–7. Oktober 1990. Archäologie und Geschichte Bd. 4 (1993, im Druck) – G. Weisgerber, Kegeln, Kugeln, Bergmannssagen. Der Anschnitt 31, 1979, 194–214 – Jährliche Berichte des Deutschen Bergbau-Museums Bochum (v. G. Weisgerber u. a.). In: Jahresbericht der Westfälischen Berggewerkschaftskasse Bochum 1971, 1972, 1973, 1974, 1975, 1976 – Die folgenden in: Der Anschnitt 31, 1979, 29–30; 32, 1980, 220–221; 33, 1981, 117–118.

Uwe Lobbedey

Der Müsen-Merklinghauser Schlag

Etwa 2 km nördlich von Müsen steigt im Westhang des Winterbachtales ein markantes, aus mehreren Trassen bestehendes Hohlwegbündel zur Wasserscheide zwischen Sieg und Lenne hinauf. Auf der Kammhöhe sind Reste der Siegener Landhecke (vgl. S. 90) und Befestigungen des Müsener, auch Merklinghauser Schlag genannt, erhalten (Abb. 45). Sie bestehen im Bereich des Durchganges, in Form eines besonders breiten und tiefen Hohlweges (Tiefe 1,3 m; Breite 9 m), aus einer noch 1,4 m hohen Landwehr mit nördlich vorgelagertem, 1,3 m tiefem und 5 m breitem Graben. Davor liegen beiderseits des Hohlweges weitere Verschanzungen, auf der Ostseite drei Vorwälle mit Gräben, auf der Westseite eine aus einem 0,5 m hohen Wall bestehende Dreiecksschanze. Auf dem westlichen Wallkopf steht ein Grenzstein mit der Bezeichnung »P« aus dem Jahre 1688.

Weitere, durch die Landwehr zugesetzte Hohlwege im Süden zeigen, daß die Straße bereits vor dem Bau der Siegener Hecke bestanden haben muß. Anzahl und Tiefe der Wege lassen vermuten, daß sie stark befahren war. Dafür spricht zudem der Flurname »Im Heerweg«, der in einer historischen Karte des Landmessers E. Ph. Ploennies (1717–1726) überliefert ist, und die Bedeutung, die das angrenzende Bergbaugebiet um Müsen (Altenberg, Stahlberg) gehabt hat.

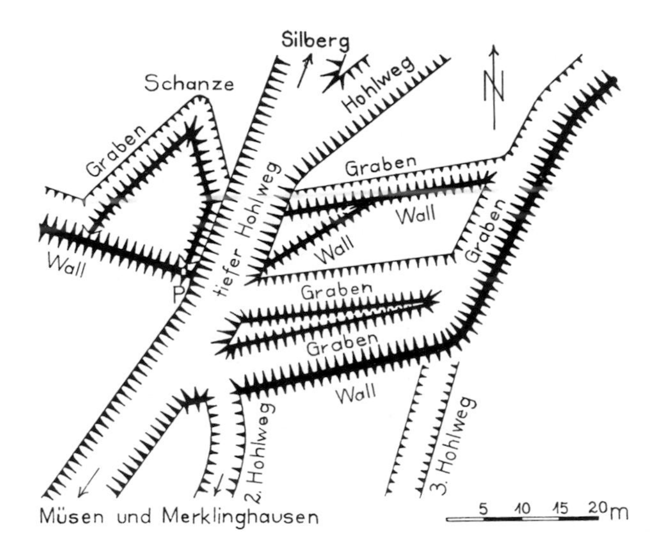

Abb. 45 Hilchenbach. Müsen-Merklinghauser Schlag. Nach Siebel.

Literatur:
W. Güthling, Die Vermessung des Siegerlandes durch Erich Philipp Ploennies 1717–1726. Siegerländer Beiträge zur Geschichte und Landeskunde 1 (1950) – G. Siebel, Die Nassau-Siegener Landhecken. Siegerländer Beiträge zur Geschichte und Landeskunde 12 (1963) 26–27.

Sigrid Lukanow

Kreuztal

Der Kindelsberg

Östlich von Krombach erhebt sich in beherrschender Lage der Kindelsberg (Höhe 618 m NN; Abb. 46). Er trägt eine kleine, langovale Ringwallanlage. Im Norden, Osten und Süden sind Wall, Außengraben und Materialentnahmegraben noch gut zu erkennen, während die Westseite und der Kernraum durch moderne Bebauung (Gaststätte, Aussichts-/Fernmeldeturm, Spielplatz) verändert wurden. In der Außenkante des Spielplatzes verbirgt sich der Rest der ehemaligen Burgmauer, so daß wir von einem 105 x 65 m großen Ringwall ausgehen können.
Verschiedene seit 1926 durchgeführte Grabungen lieferten zwar einige Hinweise auf den ehemaligen Aufbau des Walles, aber leider keine sicheren Datierungshinweise. Untersuchungen im Jahre 1933 ergaben auf der Süd- und Ostseite in einem 50 m langen Längsschnitt eine etwa 3 m breite Trockenmauer mit sorgfältig geschichteten Außenschalen, die bis zu 1 m hoch erhalten waren, und einer dazwischenliegenden Stein-Lehm-Schüttung. Der Bau eines Kabelgrabens auf der Westseite ermöglichte 1989 eine erneute Untersuchung: In der sehr steilen Außenböschung des Spielplatzes war der Rest einer 2,75 m breiten Trockenmauer erhalten (Abb. 47). Vor ihr lag eine 2 m breite Berme, an die sich ein flacher, muldenförmiger Graben von 4,2 m Breite und 1,75 m Tiefe anschloß.
Lage und Konstruktion der Tore wurden 1933 untersucht. An den beiden Wallunterbrechungen auf dem Kammweg konnten rampenartig aus dem Graben führende Verebnungen von 2 m Breite

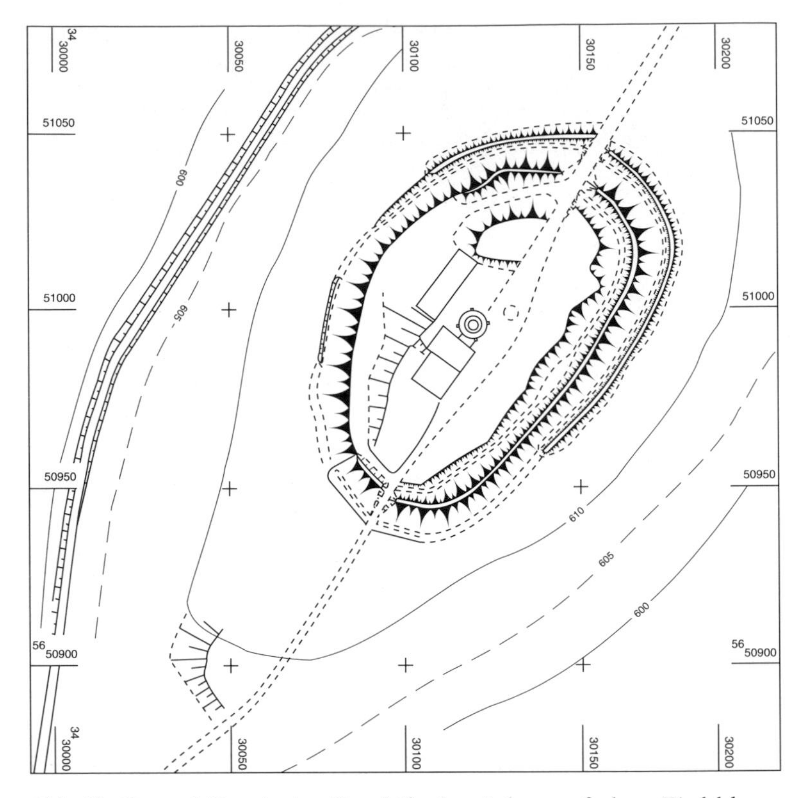

Abb. 46 Kreuztal-Krombach. Grundriß der Anlage auf dem Kindelsberg. M. 1:2100.

ausgemacht und als Zuwegungen angesprochen werden. Eine Nachuntersuchung im Südtor 1991 zeigte, daß die davorliegende Erdbrücke aus anstehendem Felsen bestand. Es muß sich daher um einen alten Durchgang handeln.

Im Jahre 1933 konnten vor der westlichen Wallwange auf einer kleinen Fläche die Fundamente eines Turmes von 3,5 m Tiefe und 3 m Breite freigelegt werden. Im Innern befanden sich vier Pfosten, die nach Meinung der Ausgräber einen hölzernen Oberbau getragen haben. Im Materialentnahmegraben wurden 12 Pfostenlöcher ohne erkennbaren Zusammenhang, eine in den Fels eingetiefte

Abb. 47 Kreuztal-Krombach. Kindelsberg. Blick von Osten auf die Trockenmauer.

Grube mit einem Durchmesser von 2,50 m und 0,35 m Tiefe, Holzkohlenreste und rot verbrannter Lehm nachgewiesen. Eine Baustellenbeobachtung zeigte 1989, daß im Kuppenbereich des Berges der anstehende Faulschiefer bis unmittelbar unter die heutige Oberfläche reicht. Datierende Funde liegen nicht vor. Der Ringwall wird meist der Vorrömischen Eisenzeit zugeschrieben, doch sprechen Wallaufbau, Tore und Mauertechnik eher für eine jüngere Datierung.

Literatur:

Bodenaltertümer Westfalens 1, 1929, 56–57 (A. Stieren) – H. Behaghel, Die Ausgrabungen auf dem Kindelsberg. Volkstum und Heimat, Heimatbeilage der Siegener Zeitung 9, 1933, 139–142 – Ders., Wallburgen, Wege und älteste Eisenindustrie in Südwestfalen. Bodenaltertümer Westfalens 2, 1931, 217–225.

Philipp R. Hömberg

Etwa 3 km nördlich von Littfeld verläuft auf der Kammhöhe, der Kreisgrenze zwischen Siegen-Wittgenstein und Olpe, ein heute noch 0,3 m hoch erhaltener Wall, Teil der Siegener Landhecke (Abb. 48; vgl. S. 90). Er wird annähernd rechtwinklig von einem Hohlwegbündel geschnitten, von dem nur der tiefste und breiteste Weg (Tiefe 2 m; max. Breite 7,5 m) den Übergang ermöglichte. Im nordwestlichen Zwickel zwischen diesem und der Landhecke ist eine zum Hohlweg offene, rechteckige, aus einem 0,6 m hohen Wall bestehende Schanze von 7 x 10 m Größe an die Landhecke angebaut. Etwa 75 m westlich liegt eine weitere Schanze von 5 x 11 m Größe und 0,5 m Wallhöhe (im Plan nicht erfaßt). Östlich des Hohlweges ist die Landwehr nicht mehr erhalten, jedoch eine dritte Schanze mit ovalem Grundriß (7 x 9 m ; Wallhöhe 0,5 m). Ein

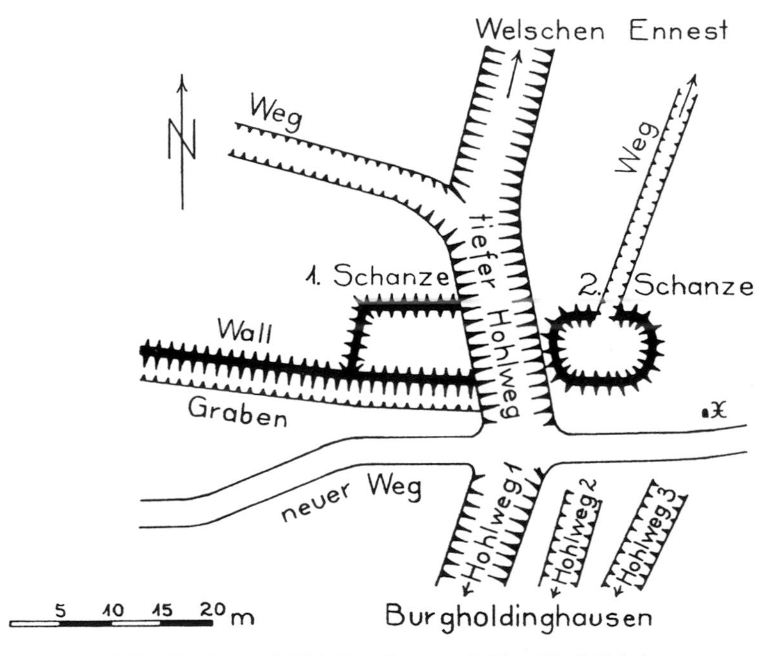

Abb. 48 Kreuztal. Welschen-Ennester Schlag. Nach Siebel.

Abb. 49 Kreuztal. Hohlwege am Welschen-Ennester Schlag.

Grenzstein, südöstlich davon, markiert den 1688 festgelegten Grenzverlauf. Er trägt Wappen und Beschriftung beider betroffener Länder und die Bezeichnung X.
Hohlwege beiderseits der Kammhöhe (Abb. 49) sind Reste der sog. »Frankfurter Straße« (auch »Alter Siegener Weg«), die auf Karten des 18. Jahrhunderts verzeichnet ist.

Literatur:
G. Siebel, Die Nassau-Siegener Landhecken. Siegerländer Beiträge zur Geschichte und Landeskunde 12 (1963) 26.

Sigrid Lukanow

Netphen

Die Burg von Obernau

Auf einem das östliche Siegerland weithin überragenden Berg liegt die Ringwallanlage »Alte Burg« (633 m NN; Abb. 50 und 51), die im 16. Jahrhundert als »Aldenburgk« erstmals genannt wird. Die ovale Kuppe umzieht ein doppeltes, 9,5 ha großes Befestigungssystem. Das äußere ist an den steil abfallenden Hängen als einfache Terrassierung, in den flacheren Abschnitten als ein bis zu 5 m hoher Wall erhalten. Der innere Befestigungsring besteht aus einem Erdwall, der an den besonders gefährdeten Stellen sehr mächtig ist. Der von Osten über einen flachen Bergkamm führende Zugang ist durch zwei heute nur noch schwach erkennbare Sperrwälle zusätzlich gesichert. In den dreißiger Jahren wurden die beiden vorgelagerten Abschnittswälle, die beiden Ringwälle und einige im Innern liegende Podien untersucht. Der innere Wallring besteht aus einer Stein-Erde-Schüttung, deren Material aus einem breiten, rückwärtigen Materialentnahmegraben gewonnen wurde. Ein Fundamentgraben deutete auf eine durchgehende Palisadenfront hin, die, wie inkohlte Hölzer im Wallkörper zeigten, durch Queranker stabilisiert wurde. Vorgelagerte Gräben wurden nicht beobachtet. Von den drei heute im Innenring vorhandenen Durchlässen haben sich der eine im Nordwesten und ein zweiter im Süden als alte Tore erwiesen. Den klarsten Befund ergab das Nordwesttor. Die gerade aufeinanderstoßenden Wallköpfe endeten in je drei doppelt gesetzten parallelen Pfostenreihen eines Kastentores. Die Durchfahrtsbreite betrug etwa 2,5 m bei einer Torlänge von 5 m. Die Toranlage wies, wie auch andere Stellen der Burg, starke Brandspuren auf.
Die Untersuchung des Außenringes, der im Norden und Süden als Terrasse und im Osten und Westen (Kammlinie) als Erdwall ausgebildet ist, ergab eine steinärmere Lehmaufschüttung. Im Südwesten wiederholte sich der Befund des Innenwalles in Form eines Palisadengräbchens, während der im Osten liegende Schnitt I keinen entsprechenden Hinweis erbracht hat. In beiden Fällen war der ehemaligen Front eine Steinpackung vorgelagert, und im Kern des

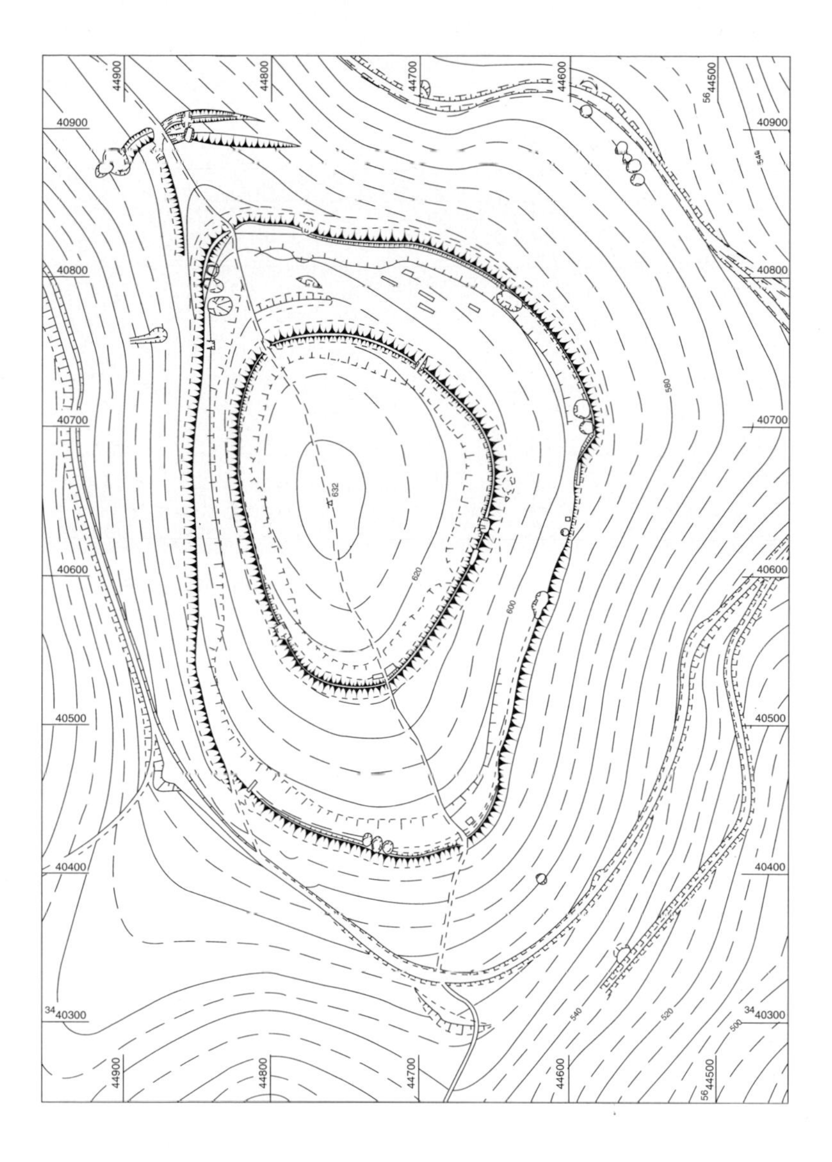

Abb. 50 Netphen. Grundriß der Alten Burg bei Obernau. M. 1:5000.

Abb. 51 Netphen. Alte Burg bei Obernau. Blick von Südwesten.

Walles schloß eine horizontal in Längsrichtung des Walles verlaufende, inkohlte Schicht an, die auf ein nicht näher ansprechbares Holzwerk hindeutete. An der Nordwest- und Südseite des Außenwerks konnten die Ausgräber zwei Tore feststellen, die jedoch durch Holzabfuhrwege so stark gestört waren, daß sich lediglich einige Pfostenspuren nachweisen ließen. Ein älterer Grundrißplan zeigt hier überlappende Wallenden, ein deutlicher Hinweis auf einen alten Durchgang.
Die Profile von zwei durch die Sperrwälle geführten Schnitten zeigten je einen Spitzgraben von 3 m Breite und 1,2 m Tiefe bzw. 1,6 m Breite und 0,8 m Tiefe. Hinweise auf ein altes Tor fanden sich hier nicht. Einige wenige Suchschnitte auf den Podien der Südostseite der Alten Burg haben bisher keine Befunde geliefert. Die bisher geborgene Keramik gehört in die Jüngere Eisenzeit.

Literatur:
Atlas vor- und frühgeschichtlicher Befestigungen in Westfalen (1920) H. 3, 44–45, Taf. 18 u. 19 – Ausgrabungen und Funde in Westfalen-Lippe 4, 1986, 294 Nr.

177 mit Abb. 46 (neuerer Grundriß) – H. Böttger, Ausgrabungen an den Wallburgen bei Afholderbach, Aue, Laasphe und Niedernetphen. Siegerland 14, 1932, 42–45.

Hartmut Laumann

Das Gräberfeld der Vorrömischen Eisenzeit von Deuz

Lesefunde führten östlich des Ortes auf dem Kamm eines nach Nordwesten abfallenden Bergrückens zwischen Sieg und Werthenbach zur Aufdeckung eines eisenzeitlichen Friedhofes. Die 65 freigelegten Urnen und Knochenbrandnester lagen teilweise so dicht unter der heutigen Oberfläche, daß sie vom Pflug erfaßt und gestört waren. Einige von ihnen bildeten kleine Gruppen, bei anderen handelte es sich um Einzelbestattungen, die bis zu 20 m voneinander entfernt waren. Aus noch nicht völlig zerstörten Gräbern wurden Keramik- und Metallbeigaben geborgen. Letztere zeigen Feuereinwirkung, teilweise sind sie bis zur Unkenntlichkeit verbrannt. Soziale Unterschiede zwischen beiden Bestattungsarten ließen sich aufgrund des Beigabenspektrums nicht feststellen.
Außer den Brandbestattungen wurde unter einer 1,2 m breiten und 3 m langen Steinpackung ein Körpergrab freigelegt. Die Beigaben, zwei Ohrringe mit Glasperlen, ein eiserner Hals- und Armring sowie ein kleines Trinkgefäß, weisen auf ein Frauengrab hin. Alle bisher genannten Bestattungen gehören der Späthallstatt- und Frühlatènezeit an.
Im östlichen Gräberfeldareal lagen zwei Gräber, die sich durch Bestattungsart und Zeitstellung deutlich von den übrigen unterschieden. Es waren Brandschüttungsgräber, bei denen die Scheiterhaufenrückstände mit in die Grabgrube gegeben worden waren. Die Urnen enthielten unter anderem Fibeln von Mittellatèneschema und Fragmente von plastisch verzierten, bronzenen Gürtelhaken (Umschlagbild; Abb. 18), die der fortgeschrittenen Latènezeit angehören.
Ob ein etwa 100 m südlich liegender Hügel zum Friedhof gehört, muß vorläufig offenbleiben.

Literatur:
H. Laumann, Archäologische Ausgrabungen im Siegerland 1987. Arbeitsbericht über Grabungen im Quellgebiet der Sülz und in Deuz. Siegerland 64, 1987, 51–53 – Ders., Neue Grabfunde aus Westfalen (Deuz). Archäologie in Deutschland, Heft 1, 1990, 41–42.

Hartmut Laumann

Der Burggraben

Zwischen dem Mühlenbach und der Netphe liegt etwa 1 km nördlich von Netphen auf einem schmalen Bergrücken der Burggraben, eine rundliche bis viereckige, kleine Ringwallanlage mit einem Durchmesser von 130 bzw. 140 m (Abb. 52). Die Befestigung besteht aus einem 1,5 m hohen Wall mit Spitzgraben; innen verläuft ein Materialentnahmegraben. Im Norden und Süden befindet sich je ein Tor mit vorgelagerten kleinen Abschnittswällen von 100 m bzw. 30 m Länge mit Außengraben. Die in der Befestigung liegende Halde stammt von einer Schachtanlage der Grube Reichsapfel aus der Mitte des vergangenen Jahrhunderts, die bereits 1901 eingestürzt war.
Einen ersten Grundrißplan erstellte 1880 Bergrath Th. Hundt, die letzte Neuvermessung nahm J. Thyssen vor. Verschiedene, seit 1910 durchgeführte Sondagen dauerten oft nur wenige Tage und haben lediglich Einzelbeobachtungen erbracht. Die Konstruktion des Walles konnte bisher nicht geklärt werden. In einem Schnitt westlich des Nordtores wurden mehrere übereinanderliegende, nach außen ansteigende Schichtpakete nachgewiesen, die nur durch eine senkrechte Wallfront zu erklären sind. Fehlende Steine deuten auf eine Holzkonstruktion hin. Sondagen im Inneren ergaben keinerlei Bebauungshinweise, wohl aber Brandreste in Form von Holzkohlestückchen und rot verglühtem Lehm. Brandschutt fand sich auch im Graben des Hauptringes. Es handelte sich um eine 0,8 m starke Schicht mit verkohlten Balkenresten, die 1,0 – 1,8 m unter der heutigen Grabenoberfläche und 0,4 m über der Sohle angetroffen wurde. Für die oft geäußerte These einer nicht fertig gewordenen Burg gibt es keine Belege. Die in diesem Zusammen-

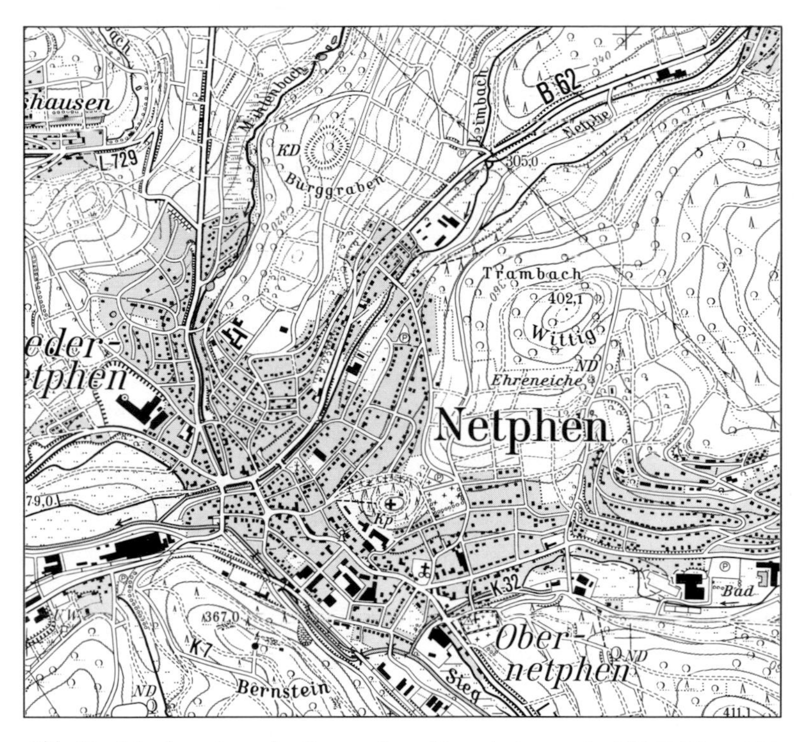

Abb. 52 Netphen. Lage des Burggrabens (Ausschnitt aus der TK 25 Blatt 5014 Hilchenbach).

hang angeführten, in Längsrichtung des Grabens liegenden Erdbrücken stammen ebenfalls nicht aus der Erbauungszeit der Burg, sondern stellen nachträgliche Verfüllungen dar. Eine auf der Grabensohle vorhandene Humusbildung zeigt zudem, daß der Graben vor dem Brand eine Zeit offengelegen haben muß.

Datierende Funde liegen aus dem Burggraben nicht vor. Aus dem Innenraum sowie von benachbarten Feldern sind mesolithische sowie neolithische Einzelfunde und Scherben »vorgeschichtlicher Machart« bekannt, doch ist bei letzteren ein Zusammenhang mit der Burg nicht erkennbar. Eine Probe der im Graben liegenden Brandschicht ergab 1963 ein 14C-Datum von 780 ± 120 Jahren (Inst. f. Ur- u. Frühgeschichte der Universität Köln, KN 56/565).

Arbeitszeit in Stunden / Bauzeit in Tagen

Arbeitszeit in Stunden	200	250	300	350	400	450	500	550	600	650	700	750
18	33	27	22	19	17	15	13	12	11	10	9,5	9
16	38	30	25	21	19	17	15	14	13	12	11	10
14	43	34	29	25	21	19	17	16	14	13	12	11
12	50	40	33	29	25	22	20	18	17	15	14	13
10	60	48	40	34	30	27	24	22	20	19	17	16

Arbeitskräfte

Abb. 53 Netphen. Burggraben. Berechnung der Arbeitszeit für den Bau der Anlage.

Anläßlich der Neuvermessung 1955/56 wurden auch Überlegungen zur möglichen Bauzeit einer solchen Anlage angestellt. Da es hier oft zu falschen Vorstellungen kommt, seien die errechneten Daten genannt. Auf der Grundlage alter »Tagwerke« kam Herr Sprenger von der Firma August Schleifenbaum, Weidenau, zu den auf Abbildung 53 dargestellten Ansätzen.

Literatur:
H. Böttger, Ausgrabungen an den Wallburgen bei Afholderbach, Aue, Laasphe und Niedernetphen. Siegerland 14, 1932, 42–45 – G. Scholl, Auf Forschungsfahrt durch das Siegerland. Siegerland 33, 1956, 77–78 – M. Sönnecken, Von den frühmittelalterlichen Ringwallanlagen. Der Reidemeister 32, 1965, 1–5.

Philipp R. Hömberg

Die Alte Burg bei Dreis-Tiefenbach

Im Ortsteil Dreis-Tiefenbach liegt auf einer zur Sieg abfallenden Felsklippe, die gegen Süden mit dem Hinterland zusammenhängt, eine kleine, zweiteilige Burganlage. Die 20 x 10 m große Haupt- und die im Süden vorgelagerte 40 x 20 m große Vorburg sind von einem Wall mit Graben umgeben, der gegen Norden im Steilhang ausläuft. Zwischen beiden Burgteilen befindet sich ein weiterer Graben mit einer Erdbrücke (Abb. 54).
H. Böttger führte 1929 eine kleine Untersuchung durch. Die Haupt- und Vorburg verbindende Erdbrücke besteht aus anstehendem Boden, so daß hier ein altes Tor gewesen sein muß. Im Wall steckte eine 0,8 m breite, gemörtelte Bruchsteinmauer. Im Innern fanden sich Fundamentreste eines Turmes von 11 x 7,8 m Außenmaß. Die 1,8 m breiten Mauern waren gemörtelt; die Magerung bestand aus bis zu kirschkerngroßen Bachkieseln. Der Nordteil des Turmes hat auf dem Felsen aufgesessen, wie Mörtelspuren zeigten. Der geringe Steinschutt – auch im unmittelbar benachbarten Graben – veranlaßte den Ausgräber, einen hölzernen Überbau über dem Steinsockel zu rekonstruieren. In der Nordostecke der Hauptburg lag ein ovaler Brunnen (1,4 x 2,4 m) aus Bruchsteinen.

Abb. 54 Netphen. Alte Burg bei Dreis-Tiefenbach. Blick von Süden.

Ein Schnitt durch den Wall der Vorburg ließ keine Konstruktionsmerkmale erkennen, ebenso konnten im Innenraum keine Bebauungsspuren nachgewiesen werden.
Historische Nachrichten von der kleinen, sicherlich mittelalterlichen Burg fehlen. Sie liegt 600 m westlich einer alten, von Siegen über Hilchenbach nach Norden führenden Landstraße, die hier die Sieg quert und unter dem Namen »Kriegerweg« bekannt ist.

Literatur:
H. Böttger, Die alte Burg bei Dreis-Tiefenbach. Siegerland 11, 1929, 105–107.

Philipp R. Hömberg

Die Graf-Gerlachs-Burg

An der Südostflanke eines sich vom »Dicken Rücken« südwestwärts zum Netphetal absenkenden Höhenzuges springt ein kleiner Sporn (517 m NN) vor. Auf Ost- und Südseite sehr steil geböscht, hängt er im Nordwesten über einen leichten Sattel und Sohlgraben mit dem dann wieder kräftig ansteigenden Hang zusammen.
Die günstige strategische Lage wird durch die Nähe von zwei alten Verkehrswegen unterstrichen. Östlich verläuft in Nord-Süd-Richtung die »Eisenstraße«, die von der ungefähr 150 m nördlich der Burg entlangführenden, Ost-West-gerichteten »Kohlenstraße« gekreuzt wird, deren Trasse noch heute stellenweise durch mehrere Hohlwege markiert wird. Alte Flurnamen wie »an der Burg« und »im Burgseifen« deuten auf eine historische Lokalität hin. Der heutige Name, Graf-Gerlachs-Burg, wird in einem zwischen 1713 und 1738 niedergeschriebenen Keppeler Lagerbuch erwähnt.
In den dreißiger Jahren unternahmen H. Böttger und H. Behaghel Begehungen und Grabungen, die aber unpubliziert blieben. Neuerliche Schürfungen führten 1974 zu einer planmäßigen Grabung des Westfälischen Amtes für Denkmalpflege. Hinter dem im Nordwesten gelegenen Sohlgraben wurde, durch eine breite Berme abgetrennt, ein Mauerring nachgewiesen, von dem nur die Außenfront faßbar war, während die Innenfront in eine Aufschüt-

tung überging. Die Schiefersteine waren mörtellos in Lehm verlegt. Der Mauerring ließ sich über die Schnittfläche hinaus beidseits noch kurz verfolgen, war im weiteren Verlauf aber abgerutscht oder abgebaut. Im Inneren der 215 m² großen Befestigung lag eine fundreiche Brandschicht mit einigen Pfostengruben und einem Balkenlager. Turmreste fehlen bisher völlig, und auch der alte Eingang ist nicht mehr erkennbar.
Der Fundstoff – Pingsdorfer Ware und hart gebrannte Kugeltopfkeramik – gehört überwiegend in das ausgehende 11. und 12. Jahrhundert. Das Fehlen von Siegburger Ware zeigt, daß die Burg vor 1200 zerstört oder aufgegeben worden sein muß. Ein bescheidener Anteil von karolingischer Drehscheibenkeramik deutet auf eine ältere Besiedlungsphase hin, wobei die Frage einer möglichen Siedlungskontinuität offenbleiben muß.

Literatur:

H.-W. Heine, Bericht über die Ausgrabungen auf der Graf-Gerlachsburg bei Netphen-Sohlbach, Kr. Siegen, 1974. Mit einem Beitrag von U. Lobbedey. Denkmalpflege und Forschung in Westfalen 2 (1979) 79–98.

Anna Helena Schubert

Neunkirchen

Der Schmiede- und Bestattungsplatz von Zeppenfeld

Im oberen Volkersbachtal, 2 km vom Ort entfernt, wurde 1981 in der Böschung eines neu geschobenen Waldweges eine Urne mit zwei Fibeln entdeckt. Eine 1982 erfolgte Nachuntersuchung führte zur Freilegung eines weiteren Grabes, das ebenfalls zwei Fibeln der Spätlatènezeit enthielt. Beide Bestattungen lagen innerhalb einer quadratischen Steinsetzung (Grabgarten) von 12 x 12 m.
Etwa 150 m talaufwärts befanden sich, im Abstand von 25 m, zwei je etwa 100 m² große Podien, die in den folgenden Jahren untersucht wurden. Das eine Podium wies eine steinreiche, ebene Fläche mit einem muldenförmig eingetieften Ofen im Zentrum auf. Da-

neben zeigten sich eine Holzkohlenkonzentration und eine Abfallgrube mit Schlacken. Ein steinerner, sauber gepickter Amboß mit konkaver Arbeitsfläche sowie ein kleiner Meißel deuten auf den Arbeitsplatz eines Schmiedes hin. Zahlreiche, z. T. sekundär verbrannte Gefäßfragmente sowie das Halbfertigprodukt einer kleinen Schildfibel datieren auch diesen Schmiedeplatz in die Spätlatènezeit.

Die Untersuchung des zweiten Podiums erbrachte mehrere Pfostengruben, die einen 8 x 4,2 m großen Grundriß mit zwei mächtigen Firstpfosten bildeten. Viele Scherben großer kumpf- und tonnenförmiger Gefäße, eine eiserne Herdschaufel und andere Eisenfragmente datieren in denselben Zeithorizont (Abb. 55 und 16,7).

Etwa 200 m bachaufwärts liegen im Talkopf größere Mengen Rennfeuerschlacken, die auf eine chronologisch noch nicht bestimmbare Eisenverhüttungsstelle hinweisen.

Literatur:

H. Laumann, Ein spätestlatènezeitlicher Schmiedeplatz von Neunkirchen-Zeppenfeld, Kr. Siegen-Wittgenstein. Ausgrabungen und Funde in Westfalen-Lippe 3, 1986, 49–57.

Hartmut Laumann

Abb. 55 Neunkirchen-Zeppenfeld. Siedlungskeramik der Jüngeren Eisenzeit (um 50 v. Chr.). 1–4 M. 1:4, 5 M. 1:8, 6.7 M. 1:6.

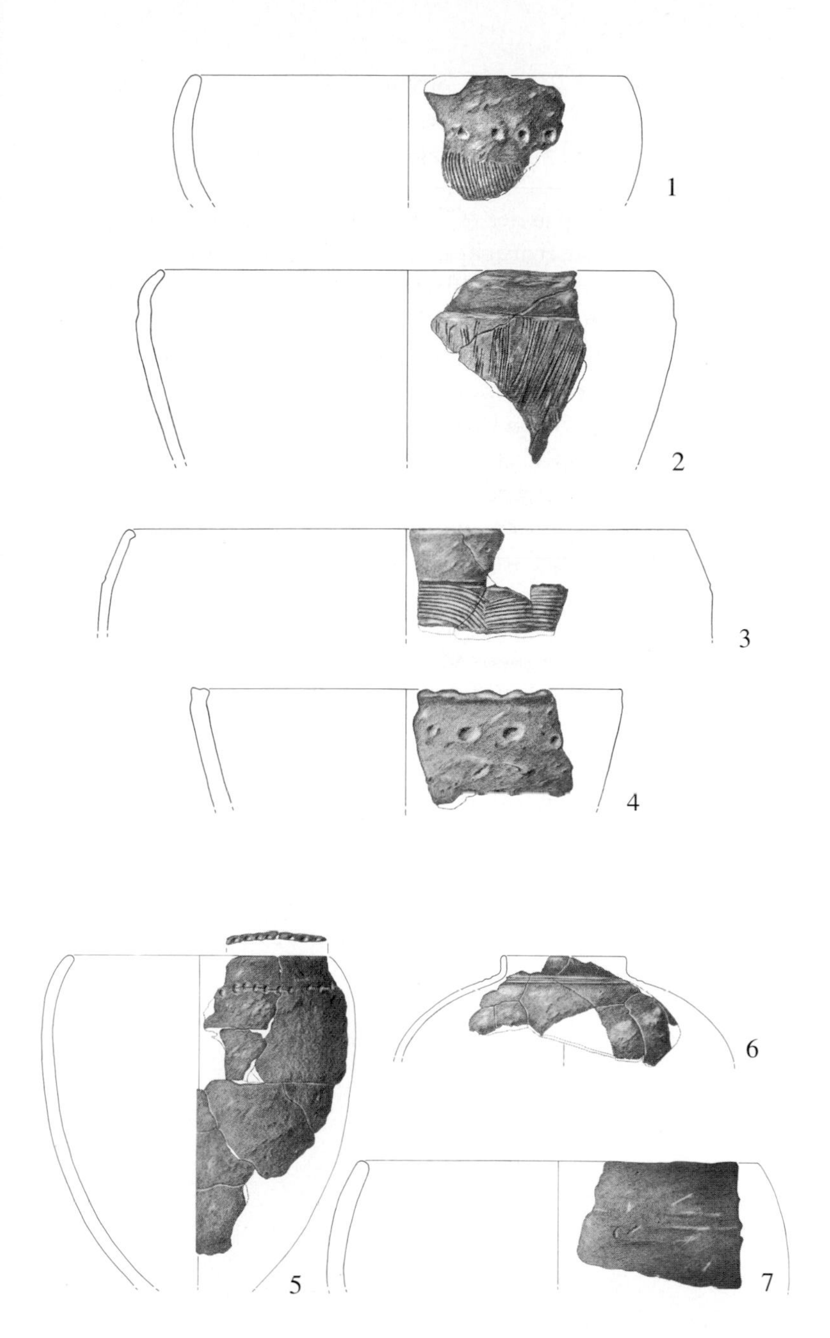
1
2
3
4
5
6
7

Der Verhüttungsplatz von Eiserfeld

Waldwegebau führte in der »Obersten Hubach«, einem nördlichen Seitentälchen des Eisernbaches, etwa 2,5 km östlich von Eiserfeld, zur Entdeckung eines großflächigen Hüttenplatzes. Zahlreiche Schlacken, Pingen, Stollen und Hohlwege weisen auf eine bedeutende mittelalterliche und frühneuzeitliche Bergbautätigkeit hin. Am Nordhang liegen mehrere Podien unterschiedlicher Größe, bei denen es sich um aufgegebene Hausplätze der im 15. Jahrhundert belegten Ortschaft »Rulsdorf« handeln könnte.
Durch den Wegebau wurde ein bisher ungestörter Fundplatz auf 30 m Länge angeschnitten und die Schlacken und Ofenreste zur Verbreiterung und Befestigung des neuen Waldweges verwendet. Bei einer Sondierung kamen die Reste von vermutlich zwei Rennfeueröfen zum Vorschein. Erhalten war lediglich der unterste Teil einer aus Lehm aufgebauten Wandung. Der schlechte Erhaltungszustand läßt eine genaue Rekonstruktion nicht zu. Der Durchmesser des Ofens könnte 1 m betragen haben. Es fanden sich einige wenige Ofenschlacken, Holzkohlestücke, ein etwa 50 kg schwerer Erzklotz aus Brauneisenstein sowie eine latènezeitliche Scherbe. 1989 wurde an derselben Stelle die Randscherbe einer grobkeramischen Tonne der älteren Latènezeit entdeckt. Bei Bohrungen im Umfeld wurden Eisenschlacken auf einer Fläche von etwa 6000 m^2 nachgewiesen.

Literatur:
Ausgrabungen und Funde in Westfalen-Lippe 8 A, 1992, 115 Nr. 97 – H. Böttger, Die Wüstungen des Kreises Siegen. Siegerland 11, 1929, 88.

Hartmut Laumann

Der Verhüttungsplatz von Oberschelden

Geplante Wegebauarbeiten 1 km nordöstlich von Oberschelden am Südhang eines zum Scheldebach entwässernden Seifens machten 1987 die Untersuchung eines von vier Podien erforderlich (Abb. 56). Anfang der dreißiger Jahre hatte O. Krasa ca. 250 m westlich einen eisenzeitlichen Schmelzofen mit einem Lehmfundament sowie Mantel-, Düsen- und Keramikfragmente gefunden.
Die Ausgrabung erbrachte Pfostenspuren eines 7 x 8 m großen Gebäudes mit zwei zentralen Firstpfosten. Im Zentrum lag ein muldenförmig eingetiefter Ofen mit zahlreichen hitzegeröteten Steinen, verziegeltem Lehm, Holzkohlestücken und Hammerschlag, was auf eine Schmiede deutet. Der Fundstoff umfaßt viereckig ausgeschmiedete Drähte, eine geflickte Schafschere, mehrere

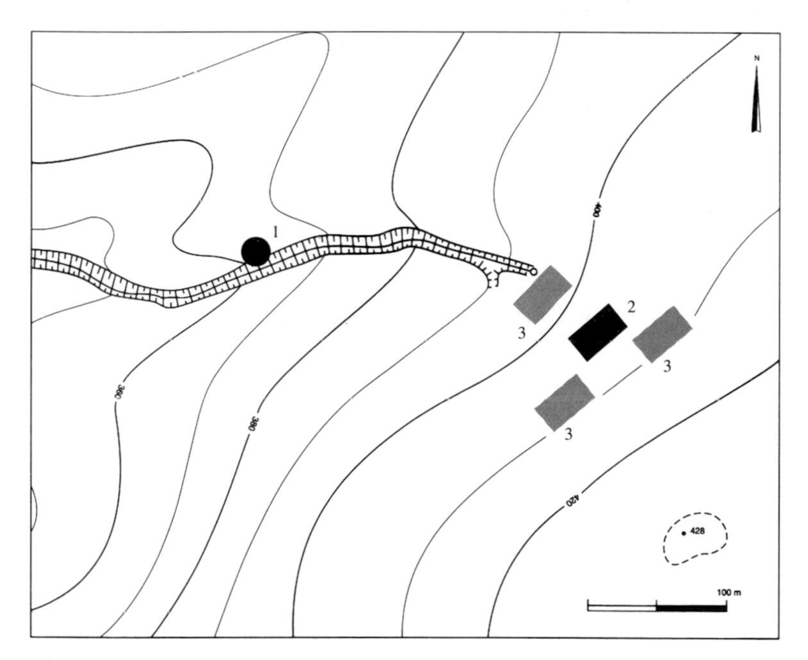

Abb. 56 Siegen-Oberschelden. Lageplan. 1 Schmelzofen, 2.3 Podien (Nr. 2 ergraben). M. 1:5000.

zerbrochene Messerklingen sowie starkwandige, grobe Scherben von großen Tonnen, Schalen und Kümpfen und gelegentlich auch Bechern. Einige Fragmente von Feinkeramik und zwei eiserne Fibeln datieren den Platz in die Jüngere Eisenzeit (Latène D).

Hartmut Laumann

Wilnsdorf

Der Verhüttungsplatz bei Obersdorf

Etwa 600 m westlich des Sportplatzes von Obersdorf liegen im Südhang des Homberges vielfältige Bergbauspuren der Vorrömischen Eisenzeit, des Mittelalters und der Neuzeit. In den Jahren 1951 und 1957/58 konnten O. Krasa und J. W. Gilles neben zahlreichen Schlackenhalden an einem Bachlauf auch 11 unterschiedlich gut erhaltene Schmelz- und Schmiedeöfen auf engem Raum nachweisen. Anhand der keramischen Beifunde ließen sich diese Anlagen mit einer Ausnahme in die Jüngere Eisenzeit datieren. Im Jahr 1958 legte O. Krasa einen weiteren, gut erhaltenen Schmiedeofen frei, der dank der Initiative des Siegerländer Heimatvereins heute unter einem Schutzdach zugänglich ist. Das Tagebuch des Entdekkers gibt von der Auffindung ein anschauliches Bild: »Der Ofen steht noch 1 m im Einschnitt der ursprünglichen Lehmböschung von der Herdsohle bis zum obersten, rotgebrannten äußeren Lehmmantel an, von der hinteren Außenkante bis zum vorderen Eingang des Ofens 1,70 m. Breite von Außenkante zu Außenkante 1,20 m, Gichtöffnung 48 x 40 cm, Innenkante Gicht bis Außenkante Steinkanal 60 cm. Schwarz gekrustete Muldensohle am Ausgang des Ofens 65 cm. Vom Windkanal steht nach links eine senkrechte Platte aus Grauwackenschiefer, ein Teil der Deckplatte, vermutliche Länge 90 cm und 60 cm Breite. Der Ofen aus Lehm mit zahlreichen Bruchsteinen aufgestampft.«

In unmittelbarer Nähe der eisenzeitlichen Öfen konnte auch ein Ofen des 12. Jahrhunderts freigelegt werden. Im Umfeld liegen zudem noch sichtbare Stollen mit Halden der frühen Neuzeit.

Literatur:
O. Krasa, Latène-Schmieden im Siegerland. Westfälische Forschungen 17, 1964, 200–205 – J. W. Gilles, Neue Ofenfunde im Siegerland. Stahl und Eisen 78, 1958, 1200–1201 – Ders., Vorgeschichtliche Eisengewinnung. Siegerland 35, 1958, 1–4.

Anna Helena Schubert

Die Podien am Höllenrain

Etwa 2 km nördlich von Wilgersdorf entdeckte O. Krasa 1962 am flachen Südhang des Ziegenbergs in der Flur Höllenrain Spuren urgeschichtlicher Eisenverarbeitung. Die Fundstelle liegt oberhalb der von einem Nebenlauf des Wahlbachs durchflossenen Wiesengründe in einem Waldgebiet. Das Areal weist acht terrassenförmige Podien unterschiedlicher Größe auf. In einem dieser Podien, das von einem Steinbruch angeschnitten war, legte Krasa sechs unvollständig erhaltene Gebläseöfen mit eingetieften Herdmulden frei. Ein Amboß, zahlreiche Fragmente von Düsenziegeln und Schlakkenkuchen, eine schwarz verkrustete »Arbeitsplatte« und die mit Holzkohle durchsetzte alte Oberfläche deuteten auf eine alte Schmiedewerkstatt hin. Da Eisenerz fehlt, wurden hier offenbar Roheisenluppen verarbeitet. Zahlreiche Scherben datieren die Fundstelle in die Jüngere Eisenzeit. In den Jahren 1966 bis 1970 legten E. Herberg und K. Wilhelmi Suchschnitte in vier Podien des Fundplatzes an. Eines dieser Podien, oberhalb der von Krasa untersuchten Stelle gelegen, wurde fast vollständig ausgegraben. Neben zahlreichen Pfostengruben stieß man auf fünf große, unterschiedlich tiefe Eingrabungen mit einem Durchmesser von etwa 1 m. Sie enthielten vor allem Holzkohle, Scherben und gebrannten Lehm. Im Gegensatz zu Krasas Podium war hier der Schlackenanteil gering. Die Pfostengruben scheinen auf einen Gebäudegrundriß hinzudeuten und lassen an ein Arbeitspodium denken. Die Keramik gehört, wie auf Krasas Podium, der Jüngeren Eisenzeit an.

Literatur:
O. Krasa, Latène-Schmieden im Siegerland. Westfälische Forschungen 17, 1964, 204–205 – Westfälische Forschungen 20, 1967, 111; 21, 1968, 181; 22, 1969/70, 103; 23, 1971, 175 – K. Wilhelmi, Die vorrömische Eisenzeit zwischen Sieg und Mittelweser. Kleine Schriften aus dem Vorgeschichtlichem Seminar Marburg 8 (1981) 2–3, Abb. 4.

Anna Helena Schubert

Die Burg Wilnsdorf

Neben der heutigen evangelischen Kirche an der Burgstraße liegen Reste der mittelalterlichen Burg Wilnsdorf, Sitz einer seit 1185 bekannten Ministerialenfamilie gleichen Namens. Im Gartengelände der benachbarten Häuser sind die Mulde des ehemaligen Burggrabens und neben der Kirche die Fundamente eines Rundturmes deutlich auszumachen.

Der 1968/69 bei einer kleinen Ausgrabung freigelegte Turm hat einen äußeren Durchmesser von 7,65 und einen inneren von 2,4 m (Abb. 57). Er befand sich an der Nordostecke eines Gebäudes, dessen Grundmauern 7 m nach Süden und 11 m nach Osten verfolgt werden konnten. Beim Bau der heutigen Kirche in den Jahren 1911/12 wurde 2,26 m unter dem heutigen Kirchenboden ein kleinerer, 17,1 m langer und 7 m breiter, spätromanischer Vorgängerbau beobachtet. Es ist nicht mit letzter Sicherheit zu entscheiden, ob diese Kirche nach der Aufgabe der Burg entstand oder bereits Bestandteil war.

Die bei der Grabung überwiegend aus einer Brandschicht geborgenen Funde gehören der ersten Hälfte des 13. Jahrhunderts an. Der Ausgräber brachte den Brand mit der 1233 erfolgten Zerstörung durch Gefolgsleute des thüringischen Inquisitors Konrad von Marburg in Verbindung. Die Burg wurde nicht wieder aufgebaut, doch muß in der Folgezeit im näheren Umfeld eine neue nassauische Burg entstanden sein, denn 1742 wird auf dem am Kirchhof gelegenen Donnerhof ein »alt verfallen burkhauss« genannt.

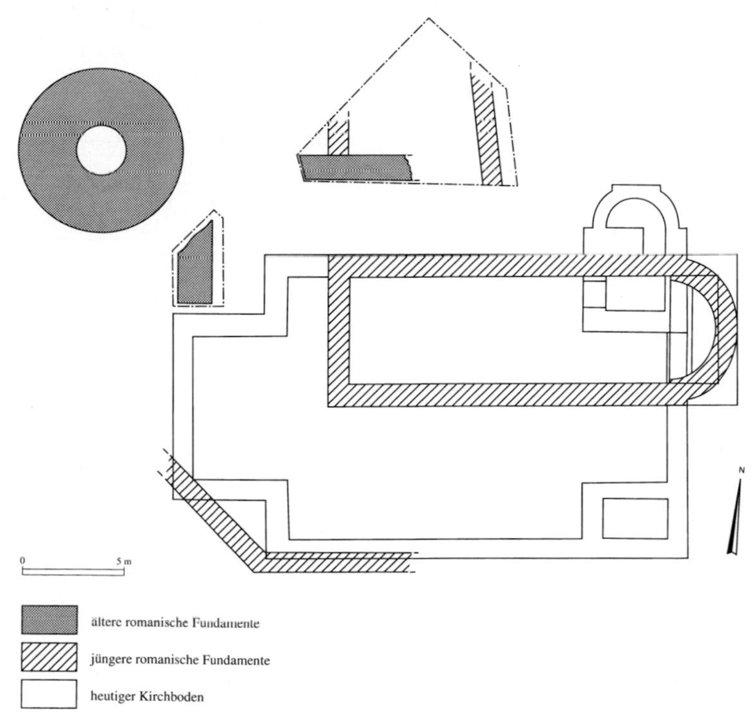

Abb. 57 Wilnsdorf. Grundrißplan der Burg. Nach Bauer.

Literatur:
W. Bauer, Grabungen und Funde in der Burg zu Wilnsdorf, Kr. Siegen. Denkmalpflege und Forschung in Westfalen 2 (1979) 153–178.

Philipp R. Hömberg

NOTTINGHAM UNIVERSITY LIBRARY

Bildnachweis

Abbildungen ohne Quellenangaben gehen auf Vorlagen der Autoren zurück oder sind der in der Bildunterschrift genannten Literatur entnommen.
Kartenausschnitte mit Genehmigung des Landesvermessungsamtes Nordrhein-Westfalen vom 12.2.1993 Nr. 67/93: Abb. 29, 31, 33,38, 52.
Deutsches Bergbaumuseum, Bochum: Abb. 44.
Koninklijk Huisarchiv Den Haag: Abb. 23.
Siegerlandmuseum, Siegen: Abb. 25.
Westfälisches Museum für Archäologie, Amt für Bodendenkmalpflege, Münster: Abb. 7, 11–20, 26–28, 30, 32, 34–37, 40–43, 46, 47, 49–51, 53–57.
Die Zeichnungen stammen von Gisela Helmich, Ulrike Kleinfeller, Franz Richard Kühn, Andreas Müller, Karin Peters.
Fotos: Hermann Menne.

NOTTINGHAM UNIVERSITY LIBRARY

Ortsregister

NOTTINGHAM
UNIVERSITY LIBRARY

ARCHÄOLOGIE ERLEBEN

Die großen Sachbücher über die Geschichte der Römer und ihre archäologischen Zeugnisse, mit zahlreichen Abbildungen, Kartenskizzen, Rekonstruktionszeichnungen und ausführlichem topographischem Katalog.

Die Römer in Rheinland-Pfalz

Hrsg. von Heinz Cüppers. 735 Seiten mit 626 Abbildungen, davon 24 Farbtafeln.

Die Römer in Nordrhein-Westfalen

Hrsg. von Heinz Günter Horn. 720 Seiten mit 559 Abbildungen und 24 Farbtafeln.

Der Limes zwischen Rhein und Main

Vom Beginn des obergermanischen Limes bei Rheinbrohl bis zum Main bei Großkrotzenburg. Von Margot Klee. 131 Seiten mit 106 Abbildungen und 8 Farbtafeln. Das Bildsachbuch über den Limes mit detailliertem Führungsteil und herausnehmbarer Limes-Wanderkarte im Maßstab 1 : 50 000.

Alter Bergbau in Deutschland

127 Seiten mit 122 überwiegend farbigen Abbildungen. Bergbauarchäologie von der Steinzeit bis zum Mittelalter: eine zusammenfassende Darstellung der Ziele, Methoden und Ergebnisse dieser noch jungen Forschungsrichtung.

Kunst und Handwerk im frühen Mittelalter

Archäologische Zeugnisse von Childerich I. bis zu Karl dem Großen. Von Helmut Roth. 320 Seiten mit 131 Textabbildungen, 112 Tafeln, davon 52 in Farbe. Eine zusammenfassende Darstellung von Kunst und Handwerk im Europa des 5. bis 9. Jahrhunderts und ihrer Einbettung in Leben und Alltag der damaligen Zeit.

Archäologie in Deutschland

Die Zeitschrift für den archäologisch und historisch interessierten Leser

● Archäologie in Deutschland
bringt aktuelle Berichte über neue archäologische Entdeckungen und Funde in unserem Land, über die Arbeit der Archäologen vor Ort und über die Probleme und Leistungen der archäologischen Denkmalpflege.

● Archäologie in Deutschland
widmet sich in jeder Ausgabe einem Schwerpunktthema der Archäologie und Geschichte, stellt Museen vor, in denen die Zeugnisse der Vergangenheit der Öffentlichkeit zugänglich gemacht werden, und enthält Tips für archäologische Wanderungen sowie Hinweise auf neue Bücher zur Archäologie und Geschichte.

● Archäologie in Deutschland
ist von Fachleuten leicht verständlich geschrieben, informiert über die neuesten Forschungsergebnisse, berichtet in spannenden Beiträgen über die Kulturgeschichte der Menschheit und wird bereichert durch farbige Reportagen über „Deutsche Archäologie im Ausland".
Ein wissenschaftlicher Beirat ist an der Konzeption und Planung der Zeitschrift maßgeblich beteiligt.

● Ein Ausstellungskalender gibt einen Überblick über laufende Veranstaltungen im Bundesgebiet bzw. im deutschsprachigen Raum.

● Ein ausführliches Autoren-, Orts- und Sachregister zu jedem Jahrgang ermöglicht ein rasches Wiederauffinden aller gesuchten Beiträge.

● Jährlich erscheint ein Sonderheft zu einem speziellen archäologisch interessanten Thema.

● Archäologie in Deutschland
erscheint vierteljährlich, Format 21 x 28 cm. 64 Seiten mit zahlreichen, größtenteils farbigen Abbildungen. Sonderheft ca. 100 Seiten.

Herausgeber
Verband der Landesarchäologen in der Bundesrepublik Deutschland
(Prof. Dr. Dieter Planck, Dr. Bendix Trier, Prof. Dr. Joachim Reichstein,
Dr. Harald Koschik, Dr. Friedrich Lüth)
Konrad Theiss Verlag (Hans Schleuning, Konrad A. Theiss).